Deutsch als Fremdsprache

Arbeitshefte zur Vorbereitung auf die Deutsche Sprachprüfung für den
Hochschulzugang (DSH) oder auf die Feststellungsprüfung (FSP)

Friedrich Clamer / Erhard G. Heilmann / Helmut Röller

Übungsgrammatik
für die Mittelstufe

Regeln • Listen • Übungen

Niveau C 1

Erweiterte Fassung

Zweite, korrigierte Auflage

Verlag Liebaug-Dartmann

Copyright © by Verlag Liebaug-Dartmann e.K.
1. Aufl. 2002, 2. Aufl. 2006, Meckenheim
Druckerei Carthaus, Bonn
Printed in Germany
ISBN 3-922989-51-9
EAN 978-3-922989-51-6

Inhaltsverzeichnis

Vorwort

Die „Übungsgrammatik für die Mittelstufe" von F. Clamer, H. Röller und W. Welter erschien 1992. Bis zur 5. Auflage 2001 gab es nur geringfügige Änderungen.

Da aber seit 1997 die „Übungsgrammatik für die Grundstufe" von F. Clamer und E. G. Heilmann verfügbar ist, können dort behandelte elementare Phänomene der deutschen Grammatik aus dem Mittelstufenband herausgenommen werden, und auch der Umfang des Wortschatzes sowie der Schwierigkeitsgrad von Übungssätzen und -texten sollte dem Rechnung tragen.

Anstelle von Winfried Welter, dem wir für seine Mitarbeit danken, ist Erhard G. Heilmann ins Autorenteam eingetreten.

Wir legen hiermit eine veränderte und erweiterte Fassung der Mittelstufengrammatik vor. Die Anzahl der Kurztexte wurde vergrößert, zum Teil gehen sie thematisch über den Bereich der Alltagserfahrung hinaus. Die Valenzgrammatik hat sich in unserer Unterrichtspraxis gut bewährt. Während in den früheren Auflagen bei der Darstellungsweise, insbesondere bei der Terminologie, noch Kompromisse mit traditionellen Grammtikmodellen eingegangen wurden, haben wir jetzt durchgängig die Systematik der Valenzgrammatik zugrunde gelegt.

Eine wichtige Erweiterung betrifft den gesamten Bereich der Angaben. Beibehalten wurde die Anordnung nach semantischen Kriterien. Während aber bisher die Übungen nur die Transformation nominaler Angaben in Nebensätze und umgekehrt umfassten, haben wir in der Neubearbeitung weitere syntaktische und lexikalische Möglichkeiten dargestellt, temporale, kausale etc. Beziehungen sprachlich zu realisieren – ein kleiner Schritt in Richtung Inhalts- bzw. Textgrammatik.

Für die erweiterte Fassung gilt wie schon für die ältere Ausgabe, dass alle Übungen in Kursen des Lehrgebiets Deutsch als Fremdsprache und des Studienkollegs für ausländische Studierende an der Universität Münster erprobt wurden. Den Kolleginnen und Kollegen dieser Institute danken wir für zahlreiche Anregungen und Hinweise.

Wir hoffen, dass diese erweiterte Fassung unserer „Blauen Grammatik" Studierenden und Lehrenden im Bereich Deutsch als Fremdsprache von gleichem oder sogar größerem Nutzen sein wird als die vorangegangenen. Um die Kontinuität der Unterrichtsarbeit zu gewährleisten, bleibt jedoch die bisherige „Kurzfassung" weiterhin verfügbar. Dem Verlag danken wir für die bewährte Zusammenarbeit bei der Erstellung des Buches.

Münster, im März 2002   Die Autoren

Hinweise für Benutzer

Sinnvolles Lernen und Üben mit dieser „Übungsgrammatik für die Mittelstufe" setzt Grundkenntnisse von Morphologie und Syntax der deutschen Sprache voraus, wie sie z. B. in der „Übungsgrammatik für die Grundstufe" aus dem Verlag Liebaug-Dartmann dargestellt sind. Die meisten fortgeschrittenen Lerner werden auch schon mit vielen Details vertraut sein, die in der vorliegenden Mittelstufengrammatik behandelt werden, sodass es nicht immer nötig sein dürfte, jedes Kapitel mit allen Übungen durchzuarbeiten.

Wir haben eine systematische Darstellung gewählt. Auswahl und Reihenfolge der zu behandelnden Themen und Übungen sind jedoch der freien Entscheidung der Benutzer überlassen. Dabei ist es unvermeidlich, dass in den jeweils gewählten Beispielen und Übungen unbekannte sprachliche Erscheinungen vorkommen. Hier sollen Querverweise – und vor allem Verweise auf grundlegende Kapitel – dabei helfen, dass sowohl DaF-Lehrerinnen und -Lehrer als auch selbständig Lernende den für sie geeigneten Zugang zu den nötigen Informationen finden.

Eine weitere Hilfestellung geben wir dadurch, dass wir alle Übungen mit höherem Schwierigkeitsgrad durch einen Hinweis (* vor der Übungsnummer) gekennzeichnet haben. Bei Zeitmangel kann auf die Bearbeitung dieser Teile verzichtet werden.

Allen, die sich noch gründlicher mit der Valenzgrammatik befassen wollen, besonders denen, die deutsche Grammatik unterrichten, empfehlen wir das Buch „Über Grammatik" von Erhard G. Heilmann aus dem Verlag Liebaug-Dartmann.

1 Wortarten

Verb	– „Vollverb"	*lernen, lesen, arbeiten, …*
	– Hilfsverb	*haben, sein, werden*
	– Modalverb	*können, wollen, müssen, …*
	– Modalitätsverb	*s. weigern (zu), scheinen (zu), …*
	– Funktionsverb	*(Sport) treiben, (in Gefahr) bringen, …*
Nomen		*Tisch, Buch, Lampe, Maria …*
Adjektiv		*schön, groß, neu, beliebt, …*
Artikel	– bestimmter Artikel	*der (Tisch), das (Buch), die (Lampe) …*
	– unbestimmter Artikel	*ein (Fenster), eine (Wohnung), …*
	– Possessivartikel	*mein (Vater), eure (Schuhe), …*
	– Negativartikel	*keine (Leistung), kein (Geld), …*
	– Demonstrativartikel	*dieser (Hund), jenes (Haus), …*
	– Frageartikel	*welcher (Tag)? was für eine (Stadt)? …*
Pronomen	– Personalpronomen	*ich, euch, sie, …*
	– Demonstrativpronomen	*dieser, jenes, …*
	– Indefinitpronomen	*man, etwas, jemand, …*
	– Reflexivpronomen	*mich, sich, dir, ….*
	– Possessivpronomen	*meiner, deins, unsere, …*
	– Relativpronomen	*der, welcher, dessen, …*
Adverb		*bald, dort, abends, deshalb, …*
Präposition		*an, auf, in, gegen, …*
Konjunktion		*und, oder, aber, …*
Subjunktion		*dass, weil, wenn, um … zu, …*
Partikel		*sehr, nur, etwa, …*

1. Bestimmen Sie die Wortarten!

Kostas pumpt mich oft an, denn mit dem Geld, das sein Vater ihm monatlich überweist, kommt er nie aus. Es reicht nur bis zur Mitte des Monats. Aber Kostas braucht auch Geld für die zweite Monatshälfte. Deshalb, und weil er auf sein Auto nicht verzichten will, muss er sich etwas dazuverdienen – oder manchmal einen Freund anpumpen.

Kostas	*Nomen (Eigenname)*	braucht	. . . .
pumpt	*Verb*	auch	. . . .
mich	*Personalpronomen*	Geld	. . . .
oft	*Adverb*	für	. . . .
an	*Präposition (hier: Präfix)*	die	. . . .
denn	. . . .	zweite	. . . .
mit	. . . .	Monatshälfte	. . . .
dem	. . . .	deshalb	. . . .
Geld	. . . .	und	. . . .
das	. . . .	weil	. . . .
sein	. . . .	er	. . . .
Vater	. . . .	auf	. . . .
ihm	. . . .	sein	. . . .
monatlich	. . . .	Auto	. . . .
überweist	. . . .	nicht	. . . .
kommt	. . . .	verzichten	. . . .
er	. . . .	will	. . . .
nie	. . . .	muss	. . . .
aus	. . . .	er	. . . .
es	. . . .	sich	. . . .
reicht	. . . .	etwas	. . . .
nur	. . . .	dazuverdienen	. . . .
bis	. . . .	oder	. . . .
zur	. . . .	manchmal	. . . .
Mitte	. . . .	einen	. . . .
des	. . . .	Freund	. . . .
Monats	. . . .	anpumpen	. . . .
aber	. . . .		
Kostas	. . . .		

2 Satzglieder

Wir unterscheiden drei Arten von Satzgliedern:

1. Prädikate

Sie *spielen.*   *Hat* er *gewonnen?*   Das Spiel *ist aus.*

Jeder Satz hat ein *Prädikat.*
Zum Prädikat gehört immer mindestens eine Verbform.

2. Ergänzungen

		zur Vorlesung.
Wir	gehen	*in die Mensa.*
		nach Hause.

Nominativ-Ergänzung (= Subjekt)   Direktiv-Ergänzung

Das Prädikat braucht einen oder mehrere „Begleiter" im Satz.
Diese vom Prädikatsverb oder -adjektiv bestimmten Begleiter nennt man *Ergänzungen.*
Fast jedes deutsche Verb im Aktivsatz verlangt eine *Nominativ-Ergänzung* (= ein *Subjekt*);
gehen verlangt z. B. außerdem noch eine *Direktiv-Ergänzung*; das ist ein Satzglied, welches auf die Frage *wohin?* antwortet.

Andere Verben verlangen zum Teil andere Ergänzungen:

Das Mädchen   gab   *seinem Freund*   *den Hausschlüssel.*
Subjekt   Dativ-Ergänzung   Akkusativ-Ergänzung
(wer? / was?)   *(wem?)*   *(wen? / was?)*

Habt   *ihr*   *auf mich*   gewartet?
Subjekt   Präpositional-Ergänzung
(wer? / was?)   *(auf wen? / worauf?)*

Es gibt neun verschiedene Arten von Ergänzungen.
Eine Ergänzung kann man oft weglassen, ohne dass der Satz grammatisch falsch wird:

Schreibst du *(einen Brief)*? – Nein, ich lese *(die Zeitung)*.

3. Angaben

Wir gehen *jeden Tag* zur Vorlesung. (Temporal-Angabe)
Das Mädchen gab ihm den Schlüssel *im Auto*. (Lokal-Angabe)
Warum habt ihr *nicht* auf mich gewartet? (Kausal-Angabe und Negations-Angabe)

Angaben sind nicht durch das Verb oder das Prädikatsadjektiv bestimmt.
Es sind *freie* Satzglieder, die man in jeden Satz einsetzen kann, wenn es die Bedeutung erlaubt.
Angaben kann man *immer* weglassen, ohne dass der Satz grammatisch falsch wird.
Es gibt viele verschiedene Arten von Angaben: Temporal-, Kausal-, ... (s. S. 10)

Beachten Sie: *Attribute* sind keine Satzglieder; sie hängen nicht vom Restsatz ab, sondern von einem Wort, dem *Bezugswort*. (s. Clamer / Heilmann: Übungsgrammatik für die Grundstufe, Nr. 11)

Übersicht

Prädikate:

Einfaches Prädikat — Er *fährt* nach Hause.

Komplexe Prädikate

• — *Hat* das Auto *repariert werden können?*
Hör mir *zu!*

• Adjektiv-Prädikat — Heute *ist / wird* das Wetter *schön.*
Ich *finde* das Wetter *schön.*
Sie *sieht* heute *gut aus.*

• Funktionsverbgefüge — Der Einbrecher *ergriff die Flucht.*
Sie *zog* meine Worte *in Zweifel.*

Ergänzungen:

Nominativ-Ergänzung (= Subjekt)	Er versteht mich nicht.	Wer? / (Was?)
Akkusativ-Ergänzung	Ich verstehe *ihn* gut.	Wen? / (Was?)
Dativ-Ergänzung	Das Buch gehört *meinem Freund.*	Wem?
Genitiv-Ergänzung	Der Kranke bedarf *ärztlicher Hilfe.*	Wessen?
Präpositional-Ergänzung	Ich interessiere mich *für alte Musik.* *Auf Peter* können wir nicht warten.	Wofür? (Für wen?) Auf wen? (Worauf?)
Situativ-Ergänzung	Die Insel Rügen liegt *in der Ostsee.*	Wo?
Direktiv-Ergänzung	Ich stecke den Brief *in die Tasche.* Herr Kim stammt *aus Korea.*	Wohin? Woher?
Expansiv-Ergänzung	Der Eintritt kostet *einen Euro.*	Wie viel?
Nominal-Ergänzung	Margret ist *Lehrerin.* Der Führerschein gilt nicht *als Pass.* Wir betrachten Uli *als unseren Freund.*	Was? Als was? Als was?

Angaben:

Temporal-Angabe	Er kommt *morgen* zurück.	Zeit
Kausal-Angabe	*Wegen des Gewitters* blieb ich im Haus.	Grund / Ursache
Final-Angabe	Ich fahre *zur Erholung* an die See.	Zweck / Absicht
Konditional-Angabe	*Bei diesem Lärm* kann ich nicht lernen.	Bedingung
Konzessiv-Angabe	*Trotz des Regens* gehen wir spazieren.	Unwirksamer Grund
Lokal-Angabe	Ich habe ihn *am Bahnhof* getroffen.	Ort
Modal-Angabe	Otto musste *schwer* arbeiten.	Art und Weise
Instrumental-Angabe	Wir waschen uns die Hände *mit Seife.*	Mittel
Referenz-Angabe	*Meiner Meinung nach* ist das zu schwer.	Informationsquelle
Negations-Angabe etc.	Petra kommt heute *nicht.*	Negation

2. *Bestimmen Sie die Satzglieder!*

Kennzeichnen Sie die Prädikate sowie die unterstrichenen Satzglieder, indem Sie die entspre-chende Abkürzung darüber schreiben oder folgende Markierungen benutzen:

Prädikat: ⌐___⌐
Subjekt: [   ]
andere Ergänzungen: <   >
Angaben: (   )

Beispiel:

Kaus.-Ang.　　　　　　　Prädikat　S　　　　　　　　Sit.-Erg.
Wegen der Zimmerknappheit wohnt sie seit einem Monat bei ihrer Freundin.
(Wegen der Zimmerknappheit) ⌐wohnt⌐ [sie] seit einem Monat <bei ihrer Freundin>.

1. Das Büro befindet sich im Erdgeschoss.

2. Wegen heftiger Zahnschmerzen musste ich in München zum Zahnarzt gehen.

3. Welche Farbe haben ihre Augen?

4. Er ist des schweren Diebstahls angeklagt.

5. In der Touristeninformation bekommen Sie einen Stadtplan kostenlos.

6. Die meisten Zuhörer waren von der Qualität des Vortrags enttäuscht.

7. Ich bin mit dem Ergebnis zufrieden.

8. Bei starkem Verkehr fahre ich nie schnell.

9. Sie ist mit ihrer Freundin zum Einkaufen in die Stadt gefahren.

10. Trotz der Doppelverglasung leiden wir in unserer Wohnung unter dem Straßenlärm.

11. Einem Gefangenen ist in der Nacht die Flucht gelungen.

12. Aus Sicherheitsgründen musste die Brücke gesperrt werden.

13. Der Computer lässt sich wegen fehlender Ersatzteile nicht mehr reparieren.

14. Wagners Oper „Siegfried" dauert über vier Stunden.

15. Am schnellsten kommen Sie mit der U-Bahn ins Stadtzentrum.

16. Nach Ansicht der Opposition müssen die Steuern weiter gesenkt werden.

17. „Faust" kann man als GOETHES bedeutendstes Werk bezeichnen.

18. Die neuen Busse werden in zwei Monaten zum Einsatz kommen.

3 Ergänzungen

3.1 Rektion der Verben: Präpositional-Ergänzungen

abhängen *von*	Ottos Stimmung hängt stark vom Wetter ab.
ableiten A *aus*	Man kann das Wort „Fenster" aus dem Lateinischen ableiten.
absehen *von*	Wenn man vom schlechten Wetter absieht, war unser Urlaub schön.
achten *auf*$_A$	Der Busfahrer hatte nicht auf den Gegenverkehr geachtet.
anfangen (A) *mit*	Jedes geschriebene deutsche Nomen fängt mit einem Großbuchstaben an.
	Viele Menschen fangen den Tag mit Frühsport an.
antworten *auf*$_A$	Ich habe sofort auf seinen Brief geantwortet.
arbeiten *an*$_D$	Die Autorin arbeitet an einem neuen Roman.
s. ärgern *über*$_A$	Ich ärgere mich über meine Fehler.
aufhören *mit*	Wir hören morgen mit dem Fasten auf.
s. aufregen *über*$_A$	Reg dich nicht über Kleinigkeiten auf!
ausgehen *von*	Bei seiner Planung geht der Minister von einer niedrigeren Inflationsrate aus.
s. bedanken *für*	Ich habe mich bei Otto für das Geschenk bedankt.
s. befassen *mit*	Wir haben uns lange mit diesem Thema befasst.
beginnen (A) *mit*	Die Oper beginnt mit einer Ouvertüre.
	Der Pianist begann das Konzert mit einer Sonate.
beitragen *zu*	In vielen Familien müssen die Kinder zum Lebensunterhalt beitragen.
s. bemühen *um*	Ich bemühe mich seit langem um ein größeres Zimmer.
berichten *über*$_A$	Die Zeitung berichtet über aktuelle Ereignisse.
beruhen *auf*$_D$	Seine Entscheidung beruht auf einem Irrtum.
s. beschäftigen *mit*	Sie beschäftigt sich mit moderner Musik.
s. beschränken *auf*$_A$	Ich will nicht lange reden, sondern mich auf die wichtigsten Punkte beschränken.
s. beschweren *über*$_A$ *(bei)*	Er beschwert sich beim Chef über seine Kollegen.
bestehen *auf*$_D$	Ich bestehe auf dem Umtausch der fehlerhaften Ware.
bestehen *aus*	Unsere Wohnung besteht aus vier Räumen.
bestehen *in*$_D$	Die Aufgabe des Rechnungshofes besteht in der Kontrolle der Staatsausgaben.
s. beteiligen *an*$_D$	An den Kosten der Party haben sich alle Gäste beteiligt.
s. bewerben *um*	Sie bewirbt sich um einen besseren Arbeitsplatz.
bitten A *um*	Er hat mich um Geld gebeten.
danken D *für*	Ich danke ihm für seine Hilfe.
denken *an*$_A$	Denkst du oft an deine Heimat?
diskutieren *über*$_A$ *(mit)*	Über Politik diskutiert Helmut gern (mit Gerhard).
s. eignen *für*	Diese Geschichte eignet sich nicht für einen Film.
s. eignen *zu*	Dieser Bleistift eignet sich sehr gut zum Zeichnen. (Verbalnomen!)
eindringen *in*$_A$	Das Regenwasser dringt in den Erdboden ein.
eingehen *auf*$_A$	Der Redner konnte nicht auf alle Fragen seiner Zuhörer eingehen.
eintreten *für*	Wir treten für die Abschaffung der Todesstrafe ein.
einwirken *auf*$_A$	Lassen Sie das Reinigungsmittel etwa zehn Minuten auf den Fleck einwirken!
s. entscheiden *für / gegen*	Er entschied sich für die Reparatur des Hauses, also gegen den Abriss.
entscheiden *über*$_A$	Eine Kommission entscheidet über die Anträge der Studenten.
s. entschließen *zu*	Ich habe mich zur Abreise entschlossen.

s. entschuldigen *für (bei)*	Er entschuldigt sich bei den Nachbarn für den Krach.
entstehen *aus*	Aus Raupen entstehen später Schmetterlinge.
s. ergeben *aus*	Aus dem Gesagten ergibt sich, daß dieser Plan unrealistisch ist.
erinnern A *an*$_A$	Darf ich Sie an den morgigen Termin erinnern?
	Wir erinnern uns gern an die Ferien.
erkennen A *an*$_D$	Ich habe Sie an der Stimme erkannt.
s. erkundigen *nach*	Wir erkundigten uns nach der Abfahrt des Zuges.
ersetzen A *durch*	Man kann Zucker durch Süßstoffe ersetzen.
fliehen *vor*$_D$	Die Bevölkerung floh vor den Soldaten in die Berge.
folgen *aus*	Aus dem Gesagten folgt, daß dieser Plan unrealistisch ist.
fragen A *nach*	Der Tourist fragte einen Radfahrer nach dem Weg.
s. freuen *auf*$_A$	Wir freuen uns schon auf die nächste Ferienreise.
s. freuen *über*$_A$	Ich habe mich über seinen Anruf gefreut.
führen *zu*	Die Überlegungen führten zu einem vernünftigen Ergebnis.
s. fürchten *vor*$_D$	Die Kinder fürchteten sich vor dem Gewitter.
gehören *zu*	Das Korrigieren von Tests gehört zu den Aufgaben des Lehrers.
gelten *für*	Das Parkverbot gilt nicht für Mitarbeiter der Firma.
gewöhnen A *an*$_A$	Kinder muss man an Ordnung gewöhnen.
	Hier musst du dich an ständig wechselndes Wetter gewöhnen.
glauben *an*$_A$	Glaubst du noch immer an den Fortschritt?
gratulieren D *zu*	Ich gratuliere dir zum Geburtstag.
halten A *für*	Ich habe den Portier für den Chef gehalten.
handeln *mit*	Otto handelt mit Gebrauchtwagen.
hinausgehen *über*$_A$	In Oslo geht die Lufttemperatur nur selten über 25 Grad hinaus.
hinweisen (A) *auf*$_A$	Ein Schild mit einem Ausrufezeichen weist (die Verkehrsteilnehmer) auf eine Gefahr hin.
hoffen *auf*$_A$	Wir hoffen auf schnelle Hilfe.
informieren A *über*$_A$	Die Botschaften informieren ausländische Bewerber über die Studienbedingungen.
	Über Zug- und Flugverbindungen nach Bern kannst du dich im Internet informieren.
s. interessieren *für*	Interessierst du dich für Politik?
s. irren *in*$_D$	Er hat sich im Datum geirrt.
kämpfen *für / gegen*	Die Frauen kämpfen für die Gleichberechtigung. / Die Südafrikaner haben erfolgreich gegen die Rassentrennung gekämpft.
klagen *über*$_A$	Die Bauern klagten über den viel zu nassen Sommer.
s. konzentrieren *auf*$_A$	Wir müssen uns auf das wichtigste Problem konzentrieren.
s. kümmern *um*	Wer kümmert sich in den Ferien um eure Blumen?
lachen *über*$_A$	Über diesen Witz kann ich nicht lachen.
leiden *an*$_D$	Er leidet an einer chronischen Krankheit.
leiden *unter*$_D$	Rosita leidet sehr unter ihrer Schwiegermutter.
liegen *an*$_D$	Die schlechte Tonqualität liegt am defekten Lautsprecher.
nachdenken *über*$_A$	Ich muss über deinen Vorschlag nachdenken.
s. orientieren *an*$_D$	Autofahrer können sich bei schlechten Sichtverhältnissen an der weißen Mittellinie orientieren.
profitieren *von*	Vom Krieg profitieren vor allem die Waffenhändler.
protestieren *gegen*	Die Schüler protestieren gegen die Fahrpreiserhöhung.
rechnen *mit*	Unsere Firma rechnet mit einem weiteren Anstieg der Rohölpreise.
rechnen A *zu*	Wir rechnen PLANCK zu den bedeutendsten Physikern des letzten Jahrhunderts.
s. richten *nach*	Die Steuer richtet sich nach der Höhe des Einkommens.

schätzen A auf_A	Man schätzt den Unfallschaden auf 5000 Euro.
schützen A vor_D	Eine gute Sonnenbrille schützt die Augen vor UV-Strahlung.
sorgen *für*	Die Eltern sorgen für ihre Kinder.
s. spezialisieren auf_A	Unsere Firma hat sich auf die Produktion von Ersatzteilen spezialisiert.
sprechen $über_A$	Wir haben mit ihm über seine Studienpläne gesprochen.
sterben an_D	Ottos Vater ist an Krebs gestorben.
stoßen auf_A	In der Bibliothek stieß sie zufällig auf ein Buch über ihr Examensthema.
suchen *nach*	Schon lange sucht der Arzt nach der Ursache meiner Schmerzen.
teilnehmen an_D	Wollen Sie auch an diesem Sprachkurs teilnehmen?
trauern *um*	Wir trauern um einen toten Freund.
trennen A *von*	Nur die schmale Straße von Gibraltar trennt Europa von Afrika / Europa und Afrika (voneinander). Estrella hat sich von ihrem Mann getrennt. / Sie haben sich (voneinander) getrennt.
übereinstimmen *mit*	Das Ergebnis stimmt exakt mit der Prognose überein.
überreden A *zu*	Ich möchte ihn zum Mitkommen überreden.
s. unterhalten $über_A$	Wir haben uns mit unseren Freunden über unsere Ferienpläne unterhalten.
unterscheiden A *von*	Können Sie einen Panter von einem Jaguar unterscheiden? / Können Sie einen Panter und einen Jaguar voneinander unterscheiden? Das neue Modell unterscheidet sich nur wenig von dem alten.
s. unterscheiden in_D / *durch*	Die beiden Medikamente sind gleich; sie unterscheiden sich nur im Preis.
unterscheiden $zwischen_D$	Im Deutschen muss man zwischen „u" und „ü" unterscheiden.
s. verabschieden *von*	Er verabschiedete sich am Flughafen von seiner Freundin.
verbinden A *mit*	Ein Tunnel verbindet England mit Frankreich / ... England und Frankreich (miteinander).
verfügen $über_A$	Internationale Konzerne verfügen über großen politischen Einfluss.
vergleichen A *mit*	Mandy vergleicht Münster mit ihrer Heimatstadt York.
verhandeln $über_A$	Die Gewerkschaften verhandeln mit den Arbeitgebern über eine Lohnerhöhung.
s. verlassen auf_A	Verlass dich nicht auf dein Glück, sondern lern!
versorgen A *mit*	Das Rote Kreuz versorgte die Erdbebenopfer mit Wolldecken.
verstehen A $unter_D$	Unter Glück versteht jeder etwas anderes.
verstoßen *gegen*	Wer hier raucht, verstößt gegen die Hausordnung.
verwechseln A *mit*	Ich habe den Portier mit dem Chef verwechselt. / ... den Portier und den Chef (miteinander) verwechselt.
verweisen auf_A	Wir verweisen auf die Verblisten in der Grundstufengrammatik.
verzichten auf_A	Ich verzichte auf das Dessert; ich bin satt.
vorbereiten A auf_A	Fahrschulen bereiten Führerscheinbewerber auf die Prüfung vor. Wie bereitest du dich auf das Examen vor?
warnen A vor_D	Wir hatten dich vor diesem bissigen Hund gewarnt!
warten auf_A	Wir warten für unsere Gartenparty auf gutes Wetter.
s. wenden an_A	Ich werde mich mit dieser Frage an das Sozialamt wenden.
s. wenden *gegen*	Wir wenden uns gegen diese unberechtigten Vorwürfe.
werden *aus*	Aus Raupen werden später Schmetterlinge.
werden *zu*	Unter Druck und Hitze wird Kalkstein zu Marmor.
wirken auf_A	Dieses Medikament wirkt auf den Blutdruck.

s. wundern *über*$_A$	Ausländer wundern sich oft über die vielen Verkehrsschilder in Deutschland.
zählen (A) *zu*	Julius Caesar zählt zu den bekanntesten Politikern der Weltgeschichte. Früher zählte man die Bakterien zu den Pflanzen.
zurückführen A *auf*$_A$	Der Arzt führt den plötzlichen Tod des Mannes auf einen Herzinfarkt zurück.
zusammenhängen *mit*	Meine Kopfschmerzen hängen wohl mit einer Erkältung zusammen.
zusammenstoßen *mit*	Ein Auto stieß mit einem Zug zusammen. / Ein Auto und ein Zug stießen zusammen.
zweifeln *an*$_D$	Ich zweifle an seiner Ehrlichkeit.
es fehlt (D) *an*$_D$	Es fehlt (uns) an Geld.
es geht *um*	In diesem Text geht es um die Arbeitslosigkeit.
es handelt sich *um* (*bei*)	Bei dem Verletzten handelt es sich um einen Zuschauer.
es kommt an *auf*$_A$	Es kommt jetzt auf schnelle Hilfe an.
es kommt *zu*	Nach dem Fußballspiel kam es zu Krawallen.

3. Ergänzen Sie!

1. Sie freute sich _über_ d_ie_ Blumen, die er ihr geschenkt hatte.

2. Der Hase flieht _____ d___ Hund.

3. Ein Bus ist _____ ein___ Zug zusammengestoßen.

4. Wir müssen uns _____ d___ aktuell___ Probleme konzentrieren.

5. Ich zweifle nicht _____ dein___ gut___ Willen. (Singular!)

6. Viele haben _____ d___ erneut___ Gebührenerhöhung protestiert.

7. Alle warten ungeduldig _____ d___ Ende der Vorlesung.

8. Er bemüht sich _____ ein___ korrekt___ Aussprache.

9. Ich habe mich oft _____ mein___ Kolleginnen _____ Politik unterhalten.

10. Gehört die Türkei _____ Europa?

11. Ich halte Frau Dr. Lübbesmeyer _____ ein___ sehr gut___ Ärztin.

12. Ich möchte mich _____ d___ Beginn des Sprachkurses erkundigen.

13. Das Kind freut sich jetzt schon _____ Weihnachten.

14. Ich habe lange _____ dies___ Frage nachgedacht, aber …

15. … ich kann mich _____ kein___ Seite entscheiden.

16. Wenden Sie sich mit diesem Problem bitte _____ d___ Sekretariat!

17. Ich muss _____ d___ Rauchen aufhören!

18. Nur wenige Menschen interessieren sich _____ modern___ Kunst.

19. Die Reisenden hatten nicht _____ ihr___ Gepäck geachtet.

4. Ergänzen Sie!

1. In seiner Freizeit beschäftigte er sich _____ d___ Sammeln von Kochrezepten.
2. Es lohnt sich, _____ ein___ besser___ Welt zu kämpfen.
3. Wir mussten _____ sein___ lustig___ Bemerkungen lachen.
4. Glaubst du _____ d___ Gute im Menschen?
5. Bei diesem Bild handelt es sich _____ ein___ Fälschung.
6. Die Bevölkerung kämpft _____ d___ verbrecherisch___ Regime. (Singular!)
7. Mein Großvater ist _____ ein___ Herzinfarkt gestorben.
8. Ich möchte mich _____ Ihr___ großzügig___ Hilfe bedanken.
9. Die Bauern hoffen für ihre Ernte _____ besser___ Wetter.
10. Es liegt _____ sein___ Arbeitsüberlastung, dass er nie Zeit hat.
11. Ich habe mich _____ ihr___ unverschämt___ Verhalten sehr geärgert.
12. Morgen spreche ich _____ d___ Assistentin _____ mein___ weiter___ Studium.
13. In diesem Artikel geht es _____ d___ Verkehrsprobleme einer Großstadt.
14. Sie können Heidelberg nicht _____ Tokyo vergleichen.
15. Auf dem Flohmarkt wird _____ gebraucht___ Kleidung gehandelt.
16. Ich kann mich noch gut _____ mein___ Schulzeit erinnern.
17. Die UNO tritt _____ d___ Einhaltung der Menschenrechte ein.
18. Eine Studentin hat sich _____ d___ schwer___ mündlich___ Prüfung aufgeregt.
19. Beim Sprachenlernen kommt es vor allem _____ Fleiß an.
20. Wer hier parkt, verstößt _____ d___ Straßenverkehrsordnung (StVO).
21. Ich fürchte mich _____ d___ lang___ und kalt___ Winter.
22. Hast du sie _____ ihr___ Meinung gefragt?
23. Ich wundere mich _____ d___ viel___ Hunde auf der Straße.
24. Ich kann _____ d___ geplant___ Exkursion nach Island nicht teilnehmen.
25. Die Bäcker beginnen schon nachts _____ ihr___ Arbeit.
26. Das ganze Dorf trauert _____ d___ viel___ Lawinenopfer.
27. Ich habe mich _____ d___ Hausmeister _____ d___ Lärm beschwert.
28. Die ausländischen Studierenden klagen _____ viel___ Schwierigkeiten.
29. Es hängt _____ d___ politisch___ Entwicklung ab, ob ich hier bleibe oder nicht.
30. Der Professor gratuliert d___ Studentin _____ d___ bestanden___ Examen.

5. Ergänzen Sie!

1. Ich kann mich immer _____ mein___ Freunde___ verlassen.

2. Wir müssen uns _____ d___ Reise nach Indien vorbereiten.

3. Ich kann mich nicht _____ ihr___ leis___ Sprechen gewöhnen.

4. Beim Autofahren darf man das Bremspedal nicht _____ d___ Gaspedal verwechseln.

5. Ich habe ihn _____ sein___ typisch___ Gang erkannt.

6. Eine klassische Sinfonie besteht _____ vier Sätze___.

7. Sie verzichteten _____ d___ angeboten___ Hilfe.

8. Ich muss oft _____ mein___ Familie denken.

9. Ich danke Ihnen _____ d___ schön___ Geschenk.

10. Hast du dich schon _____ dein___ Freunde___ verabschiedet?

11. Sie hat mich nicht _____ ein___ Ferienreise überreden können.

12. Ich kann mich nicht _____ mein___ alt___ Jacke trennen.

13. In Köln stößt man bei Bauarbeiten oft _____ römisch___ Häuserfundamente___.

14. Die Uni Münster zählt _____ d___ größt___ deutsch___ Universitäten.

15. Man muss die Blumen _____ d___ Kälte schützen.

16. In diesem Raum leiden alle _____ d___ Straßenlärm.

17. Entschuldigung, ich habe mich _____ d___ Tür geirrt!

18. Informieren Sie sich rechtzeitig _____ d___ Anmeldetermin!

19. Die Besucher werden _____ Taschendiebe___ gewarnt.

20. Er leidet noch immer _____ Bronchitis.

21. Das Parlament befasst sich heute _____ d___ neu___ Steuergesetz.

22. Ich muss mich _____ dies___ Missverständnis entschuldigen.

23. Die Kinder haben ihre Eltern nicht _____ Erlaubnis gebeten.

24. Ich werde mich _____ ein___ Zulassung zum Studium an der Uni Köln bewerben.

25. Berichten Sie uns bitte _____ Ihr___ Experimente!

26. Diese beiden Handys unterscheiden sich _____ d___ Ausstattung.

27. Die beiden Delegationen verhandeln _____ ein___ Änderung des Grenzverlaufs.

28. Die Politikerin versuchte, _____ all___ Fragen der Journalisten zu antworten.

29. Es ist zwecklos, mit ihm _____ dies___ Problem zu diskutieren.

6. Ergänzen Sie!

1. Für ihre Doktorarbeit hat sie sich _____ südamerikanisch____ Frösche____ spezialisiert.

2. Wir haben schon sehr früh _____ d___ Reisevorbereitungen angefangen.

3. In vielen Krankenhäusern fehlt es _____ Fachärzte___ .

4. Worin unterscheidet sich Deutschland _____ Ihr___ Heimatland?

5. Der Komponist arbeitet _____ ein___ neu___ Orchesterwerk.

6. _____ dies___ Beobachtung können wir eine Regel ableiten.

7. Die Aufständischen drangen innerhalb weniger Stunden _____ d___ Hauptstadt ein.

8. Diese Aufgabe geht _____ sein___ Kompetenz hinaus.

9. Diese Farben eignen sich hervorragend _____ Malen (Verbalnomen!) auf Glas.

10. Wer beteiligt sich _____ d___ entstanden___ Kosten? (Plural!)

11. Durch Bewässerung ist _____ d___ Wüste fruchtbares Land entstanden.

12. In den nächsten Jahren müssen wir _____ noch mehr Arbeitslos___ rechnen.

13. Viele Studierende verfügen _____ sehr wenig Geld.

14. Man rechnet Japan _____ d___ groß___ Industrienationen.

15. Immer weniger Menschen wollen sich _____ ein___ Vorbild orientieren.

16. Ich weiß nicht, welche Folgerung sich _____ dies___ Überlegungen ergibt.

17. Meine Pläne stimmen _____ dein___ genau überein.

18. Was verstehst du _____ „nicht so spät"?

19. Unsere Sympathie beruht _____ Gegenseitigkeit.

20. _____ sein___ Worten folgt, dass er die Entscheidung bereut.

21. Die Ärztin hat mich _____ möglich___ Komplikationen hingewiesen.

22. Sein Leichtsinn hat _____ dies___ Katastrophe geführt.

23. Das Kabinett beschränkt sich aus Zeitmangel _____ ein___ kurz___ Besprechung.

24. Veraltete Geräte müssen regelmäßig _____ neu___ ersetzt werden.

25. Ich will _____ mein___ Italienreise einen kurzen Besuch in Zürich verbinden.

26. Wenn man _____ d___ ökologisch___ Folgen (Plural!) absieht, ist die Produktion rentabel.

27. Der Präsident ging ausführlich _____ d___ Fragen der Journalisten ein.

28. Handschuhe eignen sich nicht _____ d___ Füße!

7. Ergänzen Sie!

1. Die Arbeitslosigkeit hängt _____ d___ Einführung neuer Technologien zusammen.

2. UV-Licht wirkt negativ _____ d___ Pflanzenwachstum ein.

3. Die Zulassungsbeschränkungen gelten nicht _____ all___ Studienfächer.

4. Schon seit Jahren sucht man _____ ein___ Erklärung für dieses Phänomen.

5. Wir müssen _____ d___ bekannt___ Voraussetzungen ausgehen.

6. Für weitere Informationen verweise ich Sie _____ d___ Literaturangaben.

7. Beim Sieden wird Wasser _____ Dampf.

8. Der Vorsitzende entscheidet _____ d___ Zulassung der Presse.

9. Die Autoabgase tragen _____ d___ Umweltverschmutzung bei.

10. Judiths Psychotherapeut führt ihre Ängste _____ ein___ traumatisch___ Erlebnis in der Kindheit zurück.

11. Sie besteht _____ ihr___ Recht.

12. Es gibt Leute, die nicht _____ „mein" und „dein" unterscheiden können.

13. Die Sitzung begann _____ d___ Verlesung des Protokolls.

14. Die Schwierigkeiten bestehen _____ d___ genau___ Formulierung des Antrags.

15. Zu Ferienbeginn kommt es regelmäßig _____ lang___ Staus auf den Fernstraßen.

16. Nicht alle Examenskandidaten profitieren _____ d___ Änderung der Prüfungsordnung.

17. Könnten Sie sich bitte _____ d___ Erstellung einer Teilnahmeliste kümmern?

18. Viele Selbstständige richten sich _____ d___ Empfehlungen ihres Steuerberaters.

19. Man schätzt die Weltbevölkerung _____ über sechs Milliarden Menschen.

20. Sorgen Sie doch bitte _____ ein___ ausreichend___ Zahl von Kopien für das Seminar!

21. _____ Kinder___ werden Leute! (Sprichwort)

22. Koffein wirkt anregend _____ d___ vegetativ___ Nervensystem.

23. Sie können sich _____ mein___ Zusage verlassen.

24. Wir wenden uns _____ d___ Aufstellung von Videokameras auf öffentlichen Plätzen.

25. Man zählt das Schwedische _____ d___ nordgermanisch___ Sprachen.

26. Haben sich die Wanderer ausreichend _____ Proviant versorgt?

3.2 Rektion der Verben: Dativ-Ergänzungen

(s. auch Clamer / Heilmann: Übungsgrammatik für die Grundstufe, Nr. 7.3)

abgewöhnen *A*	Wann hast du dir das Rauchen abgewöhnt?
angewöhnen *A*	Du solltest dir frühes Aufstehen angewöhnen.
angehören	Otto gehört keiner Partei an.
anvertrauen *A*	Mir kannst du deine Sorgen anvertrauen; ich rede mit niemand darüber!
auffallen	Ist dir aufgefallen, dass sie jetzt eine Brille trägt?
befehlen *A*	Der Hauptmann befahl seinen Soldaten den Rückzug.
beibringen *A*	Rosita hat ihrem Freund den Tango beigebracht.
beitreten	Tritt keiner Partei bei, deren Programm du nicht gelesen hast!
bekommen (*3. Pers.*)	Das Essen **ist** mir nicht bekommen; mir ist schlecht.
dienen	Dient der Tourismus der Völkerverständigung?
entnehmen *A*	Ich entnehme deinem Brief, dass du finanzielle Sorgen hast.
entsprechen	Das Wetter in Italien entsprach unseren Erwartungen; jeden Tag schien die Sonne.
entziehen *A*	Die Behörden haben einem Regimekritiker den Pass entzogen.
ermöglichen *A*	Ein Lottogewinn ermöglichte ihm eine Reise nach Australien.
fehlen	Dem Institut fehlen die Mittel zur Durchführung des Projekts.
gegenüberstehen	Einem Kapital von 1,3 Mio. Euro stehen Schulden von 7 Mio. Euro gegenüber.
gleichen	Kein Schneekristall gleicht einem anderen völlig.
hinzufügen *A*	Die Journalisten konnten dem Bericht vom Vortag nichts Neues hinzufügen.
leidtun	Dass du so lange auf mich warten musstest, tut mir leid.
passen (*3. Pers.*)	Es passt mir nicht, dass du jeden Tag zu spät kommst.
schulden *A*	Ich schulde dir noch 50 Euro.
überlassen *A*	Kannst du mir morgen den Wagen überlassen?
unterliegen	Alle persönlichen Angaben auf diesem Fragebogen unterliegen dem Datenschutz.
verdanken *A*	Dem Einsatz des Rettungshubschraubers verdankt der Verletzte sein Leben.
(ver)trauen	Kann man ihm noch (ver)trauen? – Er hat schon oft gelogen.
vorenthalten *A*	Der Chef hat seinen Mitarbeitern wichtige Informationen vorenthalten.
widersprechen	Ein Redner der Opposition widersprach den Ausführungen des Finanzministers.
zuordnen *A*	Die Versuchspersonen sollten dem Begriff „Erfolg" eine Farbe zuordnen.
zutrauen *A*	Traust du dir einen Kopfsprung vom Sprungturm zu?
s. zuwenden	Wir wollen uns einem neuen Thema zuwenden.
es geht gut / schlecht	Ich hoffe, dass es dir gut geht!

3.3 Rektion der Verben: Genitiv-Ergänzungen

bedürfen	Das Symbol „rotes Kreuz im weißen Feld" bedarf keiner Erklärung.
beschuldigen *A*	Man beschuldigt einen Mitarbeiter des Ministers des Geheimnisverrats.
bezichtigen *A*	Sie bezichtigte ihn der Lüge.
entbehren	Seine Ausführungen entbehrten der Logik.
s. enthalten	Ich enthalte mich jeder Äußerung zu diesem Problem.
s. erfreuen	Currywurst erfreut sich in Dortmund großer Beliebtheit.
gedenken	Am 3. Oktober gedenkt man der Wiedervereinigung von Ost- und Westdeutschland.
s. schämen	Laut 1. Buch Moses schämten sich Adam und Eva ihrer Nacktheit.
überführen *A*	Man konnte ihn der Urkundenfälschung überführen.
verdächtigen *A*	Wegen eines Päckchens Backpulver wurde eine Dame des Drogenhandels verdächtigt.

8. Setzen Sie, wo es nötig ist, Endungen in die Lücken ein!

1. Die Staatsanwaltschaft verdächtigt ein___ hoh___ Beamt___ d___ passiv___ Bestechung.
2. Ein Strafgefangener ist mit der Frau des Gefängnisdirektors geflohen; das Innenministerium enthält sich ein___ Kommentar___ zu diesem Vorfall.
3. Das Rezept stammt nicht von mir; ich habe es ein___ französisch___ Kochbuch___ entnommen.
4. Die Mondoberfläche gleicht ein___ irdisch___ Wüste.
5. Man überführte ein___ jung___ Bankangestellt___ anhand ihrer Fingerabdrücke d___ Diebstahl___.
6. Der steckbrieflich gesuchte Terrorist war ein___ älter___ Herr___ im Bus aufgefallen.
7. Der Herausgeber hat d___ naturwissenschaftlich___ Werke___ GOETHES ein___ Kommentar___ hinzugefügt.
8. D___ Urteil über mein Buch überlasse ich d___ Leser___. (Plural!)
9. Die Idee eines „Perpetuum mobile" widerspricht d___ Gesetze___ der Physik.
10. Ich habe erfahren, dass Martin ein___ radikal___ Partei___ angehört.
11. Am Volkstrauertag gedenkt man d___ Opfer___ der Weltkriege und des Nationalsozialismus.
12. Bundeskanzler Brandt schämte sich sein___ einfach___ Herkunft nicht.
13. Frau Töns hat sich ganz ihr___ neu___ Aufgabe zugewandt.
14. Jasirs sechsundachtzigjährige Mutter erfreut sich gut___ Gesundheit.
15. Manche „Schlankheitsmittel" entziehen d___ Körper nur überflüssig___ Wasser.
16. Man hatte ein___ Obdachlos___ d___ Fahrraddiebstahl___ beschuldigt, aber seine Unschuld hat sich herausgestellt.
17. Auch d___ Drogenhandel___ bezichtigte man d___ Mann___; das traf ebenfalls nicht zu.
18. Wir verdanken unser___ Rettung ein___ glücklich___ Zufall___.
19. Der Angeklagte stand d___ Fragen der Richterin hilflos gegenüber.
20. Die Pilze kann man weder d___ Tiere___ noch d___ Pflanzen zuordnen.
21. Bedarf der gestürzte Radfahrer ärztlich___ Hilfe?
22. Entspricht die vorgeschlagene Lösung dein___ Vorstellungen?
23. Nach Deutschland importierte Arzneimittel unterliegen ein___ streng___ Kontrolle.

3.4 Rektion der Verben: Nominal-Ergänzungen

(1.1) Nominal-Ergänzungen im Nominativ

*Der Delfin ist **ein Säugetier**.*
*Herr Akbulut ist **Deutscher** geworden, aber seine Eltern wollen **Türken** bleiben.*
*Die verschiedenen Kontinente waren früher **eine einzige Landmasse**.*

Eine Gruppe von Verben hat zwei Ergänzungen im Nominativ.
Eine davon ist das Subjekt, die andere wird als *Nominal-Ergänzung* bezeichnet.
Wenn eine der beiden Ergänzungen Plural ist, steht das Prädikat im Plural.

*Heinrich Schliemann, der Entdecker Trojas, galt **als unwissenschaftlicher Phantast**.*
*Die geografischen Angaben bei Homer haben sich **als Realität** erwiesen.*
*Der Delfin sieht **wie ein großer Fisch** aus.*

Bei einer Gruppe von Verben wird die *Nominal-Ergänzung* mit *als* bzw. *wie* eingeleitet.

(1.2) Nominal-Ergänzungen im Akkusativ

*Viele betrachten Albert Einstein, den Begründer der Relativitätstheorie, **als den bedeutendsten Physiker des 20. Jahrhunderts**.*
*Die Polizei hat einen Touristen ohne Ausweis **wie einen Verbrecher** behandelt.*
*Einen Stein, der „vom Himmel fällt", nennt man **einen Meteoriten**.*

Eine Gruppe von Verben hat zwei Ergänzungen im Akkusativ: eine Akkusativ-Ergänzung und eine *Nominal-Ergänzung im Akkusativ*.
Meistens wird diese *Nominal-Ergänzung* mit *als* bzw. *wie* eingeleitet; nur in wenigen Fällen, z. B. beim Verb *nennen*, gibt es kein Einleitungswort.

(2) Nominal-Ergänzungen in Passivsätzen

*Von vielen wird Albert Einstein, der Begründer der Relativitätstheorie, **als der bedeutendste Physiker des 20. Jahrhunderts** betrachtet.*
*Ein Tourist ohne Ausweis ist von der Polizei **wie ein Verbrecher** behandelt worden.*
*Ein Stein, der „vom Himmel fällt", wird **Meteorit** genannt.*

Verben mit *Nominal-Ergänzung im Akkusativ* können ein Passiv bilden.
Im Passivsatz stehen das Subjekt und auch die *Nominal-Ergänzung* im **Nominativ.**

(3) Adjektive anstelle von Nominal-Ergänzungen

*Die Gestaltung des Stadtzentrums von München gilt **als vorbildlich**.*
*Sie betrachtet ihre Ehe **als gescheitert**.*

Bei den meisten Verben, die eine *Nominal-Ergänzung* mit *als* haben, kann an der Stelle der *Nominal-Ergänzung* ein *Adjektiv* oder *Partizip* mit *als* stehen.
Diese prädikativen Adjektive werden nicht dekliniert.

Verben mit Nominal-Ergänzungen

sein	Seine Schulden waren eine schwere Belastung für die ganze Familie.
bleiben	Blaukraut bleibt Blaukraut, und Brautkleid bleibt Brautkleid.
	(ein so genannter „Zungenbrecher")
werden	Wird Bayern München wieder Deutscher Meister?
heißen	Die Leoparden heißen auch Panter.
s. ausgeben *als*	Er war Deutscher, gab sich aber als Österreicher aus.
aussehen *wie*	Auf Landkarten sieht der Umriss Italiens wie ein hoher Stiefel aus.
s. benehmen *wie*	Du hast dich benommen wie ein Elefant im Porzellanladen!
dienen (D) *als*	Eine Höhle diente (den Kindern) als Versteck.
s. erweisen *als*	Die Nachricht vom Tod des Diktators erwies sich als Falschmeldung.
gelten *als*	Der Führerschein gilt nicht als Personalausweis.
s. herausstellen *als*	Viele wissenschaftliche Hypothesen haben sich als Irrtum herausgestellt.
vorkommen D *wie*	Ihre Lebensgeschichte kommt mir wie ein Roman vor.
s. zeigen *als*	Er hat sich als schlechter Verlierer gezeigt.
ansehen A *als* A	Ich sehe die Rechtschreibreform als einen Fortschritt an.
auffassen A *als* A	Ich fasse seine langen Erklärungen als Versuch einer Entschuldigung auf.
ausgeben A *als* A	Sie hatte ihren Freund als ihren Bruder ausgegeben.
behandeln A *wie* A	Einen Sklaven konnte man wie einen Gegenstand behandeln.
betrachten A *als* A	Im Altertum betrachtete man den Himmel als eine gläserne Kuppel.
bezeichnen A *als* A	Einen großen Stein in Delphi bezeichneten die Griechen als „Nabel der Welt".
erkennen A *als* A	Er hat den Entschluss, sein Haus zu verkaufen, inzwischen als schweren Fehler erkannt.
verstehen A *als* A	Ich verstand sein Kopfnicken als Zustimmung.

9. Setzen Sie die passenden Verbformen ein!

1. Japan _____ zu Recht als wichtigste Wirtschaftsmacht Ostasiens.

2. Man _____ Immanuel Kant als den größten deutschen Philosophen.

3. Ich weiß nicht, ob ich seine Bemerkung als Lob oder als Kritik _____ soll.

4. Bei einer genaueren Überprüfung hat sich sein Pass als Fälschung _____.

5. Ich _____ Peter als meinen besten Freund.

6. Man _____ jemanden, der sich ständig über etwas beschwert, als Querulanten.

7. Da er fließend Deutsch spricht, konnte er sich als Deutscher _____.

8. Hohe Gebirge und große Flüsse wurden oft als natürliche Grenzen zwischen Ländern _____.

9. In Deutschland _____ man ein Mobiltelefon „Handy".

10. Es gibt Giftschlangen, die fast genauso wie harmlose Schlangen _____.

11. Nach dem Umbau soll das Schloss als Luxushotel _____.

12. Das Schwierigste an der deutschen Sprache _____ für viele die Artikel.

10. *Ergänzen Sie – wo es nötig ist – „als", Präpositionen und Endungen!*

1. Liebe Petra, in dieser schwierigen Situation hast du dich _____ ein___ zuver-
   lässig___ Freundin gezeigt.

2. Die Unterstützung durch seinen Onkel ermöglicht mein___ Freund___ d___ Stu-
   dium___ im Ausland.

3. Wegen ihrer tiefen Stimme habe ich Frau Kusmierz am Telefon _____ ihr___
   Mann___ gehalten.

4. Auch die Muslime sehen Jesus _____ ein___ Gesandt___ Gottes an.

5. Ich kann mich nur schwer _____ d___ früh___ Aufstehen gewöhnen.

6. Die Lehrerin versucht, _____ d___ Kinder___ ihr___ Privatgespräche___ im
   Unterricht abzugewöhnen.

7. Im Mittelalter betrachtete man d___ Erde _____ ein___ Scheibe.

8. Das leer stehende Kinderzimmer dient d___ Eltern jetzt _____ zusätzlich___
   Arbeitszimmer.

9. Henna eignet sich gut _____ Färben der Haare.

10. Herr Mahler eignet sich nicht _____ d___ Außendienst.

11. Galilei gab d___ von ihm nachgebaut___ Teleskop _____ sein___ eigen___ Er-
    findung aus.

12. Eine Katze versteht das freundliche Schwanzwedeln eines Hundes _____
    Drohung.

13. _____ „Skonto" versteht man ein___ Preisnachlass bei sofortiger Bezahlung
    der Ware.

14. Wer hat d___ Schüler___ d___ Umgang mit dem Computer beigebracht?

15. Professor von Frisch galt _____ d___ best___ Kenner___ der Bienen.

16. Es gibt viele Arbeitslose, aber in der Informatikbranche fehlen _____ Fach-
    leute___.

17. Die Fabrik kann nicht gebaut werden; es fehlt _____ d___ nötig___ Kapital.

18. Dass Elli Chemie als Studienfach gewählt hatte, erwies sich _____ richtig___
    Entscheidung.

19. Der Vorwurf der Bestechlichkeit, d___ man d___ Minister gemacht hatte, entbehrte
    jed___ Grundlage___ .

20. Man bezeichnet jemanden, der eine Krankheit nur vortäuscht, _____ Simulant___.

3.5 Rektion der Adjektive

1. Adjektive mit Akkusativ- oder Expansiv-Ergänzung

alt	Das Baby wird morgen einen Monat alt.
breit, groß, hoch, lang	Die Tür ist einen Meter breit.
schwer	Dieses Paket ist etwa 7 Kilo schwer.
gewohnt	Ich bin fetten Lammbraten nicht gewohnt.
schuldig (D)	Ich bin dir noch zehn Euro schuldig.

2. Adjektive mit Dativ-Ergänzung

ähnlich	Er ist seinem Bruder sehr ähnlich.
behilflich	Der Assistent war mir mit Literaturhinweisen behilflich.
bekannt	Sein Name ist mir nicht bekannt. (→ mit)
egal	Ihm ist alles egal.
gleich	Das Volumen des eingetauchten Körpers ist gleich dem Volumen der verdrängten Flüssigkeit. (ARCHIMEDES)
möglich	Es ist mir nicht möglich, mehr zu bezahlen.
recht	Der vorgeschlagene Termin ist mir recht.
sympathisch	Die meisten Kollegen sind mir sympathisch.
überlegen (unterlegen)	Der Schachweltmeister war seinen Gegnern weit überlegen.

3. Adjektive mit Präpositional-Ergänzung

abhängig *von*	Meine Entscheidung ist vom Ausgang der Wahlen abhängig.
angewiesen *auf$_A$*	Wir sind auf Ihre Hilfe angewiesen.
arm *an$_D$*	Weißbrot ist arm an Ballaststoffen.
bekannt *mit*	Ich bin mit ihr seit langem bekannt. (→ D)
beliebt *bei*	Er ist bei seinen Kollegen beliebt.
berechtigt *zu*	Herr Wagner war zur Einlösung des Schecks nicht berechtigt.
bereit *zu*	Wir sind zur Abreise bereit.
bezeichnend *für*	Diese Antwort ist bezeichnend für ihre Mentalität.
charakteristisch *für*	Hitze und Feuchtigkeit sind charakteristisch für die Tropen.
dankbar (D) *für*	Ich bin Ihnen sehr dankbar für Ihre Hilfe bei der Wohnungssuche.
einverstanden *mit*	Bist du mit diesem Vorschlag einverstanden?
entschlossen *zu*	Ich bin zu einer Klage vor Gericht entschlossen.
enttäuscht *von*	Sind Sie auch von diesem Film enttäuscht?
entsetzt *über$_A$*	Ich bin über seine rassistischen Ansichten entsetzt.
erfreut *über$_A$*	Sie ist über das schöne Geschenk erfreut.
erstaunt *über$_A$*	Der Student zeigte sich über das gute Prüfungsergebnis erstaunt.
fähig *zu*	Der Mann ist zu jeder Tat fähig.
fertig *mit*	Ich bin mit der Arbeit fertig.
frei *von*	Hoffentlich bleibt der Kranke frei von Schmerzen.
freundlich *zu*	Sie verhält sich zu allen Gästen freundlich.
froh *über$_A$*	Wir sind froh über deinen Erfolg.
geeignet *für (zu)*	Das Buch ist für Anfänger (zum Lernen [Verbalnomen!]) geeignet.
gespannt *auf$_A$*	Ich bin gespannt auf das Ende des Romans.
gewöhnt *an$_A$*	Wir sind an ein Leben in der Großstadt gewöhnt.
glücklich *über$_A$*	Er ist glücklich über das Ende des Bürgerkriegs.
interessant *für*	Der Vortrag erwies sich als interessant für uns.
interessiert *an$_D$*	Wir sind an einer Reise nach Spanien interessiert.
müde *von*	Ich bin müde von der langen Reise.
neidisch *auf$_A$*	Sie ist auf ihre jüngere Schwester neidisch.

nützlich *für*	Fremdsprachenkenntnisse sind für alle nützlich.
reich *an*$_D$	Alaska ist reich an Bodenschätzen.
schädlich *für*	Rauchen ist schädlich für die Gesundheit.
schuld *an*$_D$	Er ist schuld an dem Verkehrsunfall.
stolz *auf*$_A$	Alle Eltern sind stolz auf ihre erfolgreichen Kinder.
traurig *über*$_A$	Wir sind traurig über die schlechte Nachricht.
typisch *für*	Lichtempfindlichkeit ist typisch für Migräne.
überzeugt *von*	Nicht jeder ist von der Qualität des Produktes überzeugt.
vergleichbar *mit*	Deine Arbeit ist mit seiner (Arbeit) nicht vergleichbar.
verwandt *mit*	Er soll mit dem Präsidenten verwandt sein.
zufrieden *mit*	Seid ihr mit dem Untersuchungsergebnis zufrieden?

11. *Ergänzen Sie!*

1. Er ist _____ d___ hoh___ Arbeitstempo nicht gewohnt.

2. Wir sind _____ d___ gut___ Nachricht erfreut.

3. Was Sie da erzählen, ist _____ m___ schon längst bekannt.

4. Der Richter war _____ d___ Unschuld des Angeklagten überzeugt.

5. Sind Sie _____ d___ Termin einverstanden?

6. Das eingestürzte Haus war _____ sieben Stockwerke hoch.

7. Frau Prof. Knörzen-Hasskamp ist _____ ihr___ Mitarbeiter___ sehr beliebt.

8. Sie ist _____ d___ Stipendium angewiesen; ihre Eltern sind arm.

9. Ich bin _____ Ihr___ Zusage sehr froh.

10. Es ist bezeichnend _____ dies___ Mann, dass er uns nicht benachrichtigt hat.

11. Sie sieht (ist) _____ ihr___ Mutter sehr ähnlich.

12. Ich bin nicht zufrieden _____ d___ Hotel-Service.

13. Unser Team war _____ d___ Team aus Bremen deutlich unterlegen.

14. Ich bin Ihnen _____ Ihr___ Hilfe sehr dankbar.

15. Hier ist der Fluss _____ ein___ Kilometer breit.

16. Ich bin _____ d___ gleichnamig___ Schauspielerin nicht verwandt.

17. Wir waren entsetzt _____ d___ Bericht aus dem Erdbebengebiet.

18. Ich bin erstaunt _____ d___ hoh___ Preis des Wörterbuchs.

19. Wir sind traurig _____ sein___ Tod.

20. Sie war sehr stolz _____ ihr___ hervorragend___ Prüfungsergebnis.

21. Es ist _____ m___ nicht recht, wenn Sie immer zu spät kommen!

22. Er ist neidisch _____ sein___ erfolgreich___ Bruder.

23. Dieses Angebot ist uninteressant _____ m___.

24. Er ist immer noch _____ sein___ Familie abhängig.

25. Deutschland ist arm _____ Erdöl.

12. *Ergänzen Sie!*

1. Dieser Rucksack ist nicht _____ ein___ Expedition geeignet.
2. Endlich ist sie _____ ihr___ Referat fertig geworden!
3. Ich bin _____ Ihr___ neu___ Angebot nicht interessiert.
4. Die Hinweise der Bibliothekarin waren sehr nützlich _____ d___ Studentin.
5. Russland ist reich _____ Bodenschätze___.
6. Liechtenstein ist nicht vergleichbar _____ Monaco.
7. Der Rhein ist _____ 1320 km lang.
8. Wir sind _____ alle___ Nachbarn gut bekannt.
9. Die neue Produktionsmethode ist _____ d___ alt___ Methode weit überlegen.
10. Sie ist glücklich _____ d___ positiv___ Antwort auf ihre Bewerbung.
11. Können Sie _____ d___ sehbehindert___ Studentin behilflich sein?
12. Warum bist du _____ ein___ erneut___ Umzug nicht bereit?
13. Wir sind frei _____ all___ unangenehm___ Verpflichtungen.
14. Ich bin _____ ein___ Wechsel meines Studienortes entschlossen.
15. Es war _____ mein___ Freunde___ nicht möglich zu kommen.
16. Kakteen sind charakteristisch _____ d___ Wüsten Mittelamerikas.
17. Ich bin noch müde _____ d___ lang___ Wanderung.
18. Auch mein Kollege ist _____ d___ Unterzeichnung von Verträgen berechtigt.
19. Unsauberes Wasser ist nicht _____ Trinken (Verbalnomen!) geeignet.
20. Alkohol ist _____ d___ Menschen schädlich.
21. Es ist _____ m___ egal, ob sie kommt oder nicht.
22. Ich bin gespannt _____ d___ Ausgang der Wahl.
23. Sie ist selbst schuld _____ d___ schlecht___ Ergebnis.
24. Heute bin ich _____ kein___ Arbeit mehr fähig.
25. Die Sekretärin ist _____ all___ Besucher___ sehr freundlich.
26. Er war m_____ von Anfang an nicht sehr sympathisch.
27. Diese Nachricht ist gerade _____ ein___ halb___ Stunde alt.
28. Ich bin Ihnen _____ kein___ Erklärung schuldig!
29. Wir waren sehr enttäuscht _____ d___ Konzert.
30. Ich bin _____ d___ fremd___ Lebensweise noch nicht gewöhnt.
31. Sind Kartoffeln, Bier und Lederhosen typisch _____ Deutschland?
32. In einem rechtwinkligen Dreieck ist die Summe der Flächeninhalte der Quadrate über den Katheten gleich _____ d___ Flächeninhalt des Quadrats über der Hypotenuse. (Satz des PYTHAGORAS)

3.6 Ergänzungen in nominaler Form → Ergänzungssätze

Zur Einführung: Nominalstil   vs. Verbalstil

Das Hochwasser ist *auf tagelangen Regen* und *eine plötzliche Schneeschmelze* zurückzuführen.	↔ Das Hochwasser ist *darauf* zurückzuführen, *dass es tagelang geregnet hat* und *dass der Schnee plötzlich geschmolzen ist.*
Niemand hat *einen so schnellen Anstieg des Wassers* vorausgesehen.	↔ Niemand hat vorausgesehen, *dass das Wasser so schnell ansteigen würde.*
nominale Ergänzungen	*Ergänzungssätze*
Zum Schutz der Häuser vor den Wassermassen werden Dämme aus Sandsäcken errichtet.	↔ *Um die Häuser vor den Wassermassen zu schützen,* werden Dämme aus Sandsäcken errichtet.
nominale Angabe	*Angabesatz*

In der deutschen Sprache können Vorgänge und Sachverhalte *nominal* oder *verbal* ausgedrückt werden. Dies gilt sowohl für die Verwendung von **Ergänzungen** als auch für die Verwendung von **Angaben**. Die Standardsprache / Umgangssprache bevorzugt die *verbale* Ausdrucksweise, während in der Verwaltung, der Politik und den Wissenschaften häufig die *nominale* Ausdrucksweise bevorzugt wird.

Der manchmal schwer verständliche Nominalstil kann durch *Verbalisierung*, d. h. durch die Verwendung von Nebensätzen, in Verbalstil umgewandelt werden. Im Nebensatz lassen sich Bedeutungsbeziehungen und zeitliche Relationen genauer ausdrücken. Umgekehrt führt die *Nominalisierung* zu einer oft erwünschten Kürze der Texte. (Zur Nominalisierung s. Nr. 11)

Verbalisierung

Die im Laufe des 18. Jahrhunderts gewonnenen Einsichten führten *zur Anwendung naturwissenschaftlicher Kenntnisse bei der Konstruktion von Maschinen.* Das bedeutete *die Möglichkeit zunehmender Mechanisierung der Arbeit;* Maschinen konnten nun schwere und monotone Arbeiten schneller und rationeller ausführen. Für den Aufbau der Fabriken war aber *der Einsatz beträchtlichen Kapitals* notwendig. *Der weitere Verlauf der technischen Entwicklung* ließ sich nicht voraussehen, und *nach den Folgen der Industrialisierung für den Menschen und die Umwelt* fragte damals noch niemand.

In Texten aus den Bereichen Wissenschaft, Verwaltung, Politik etc. kommen Ergänzungen vor, die wegen ihrer komplizierten nominalen Struktur schwer verständlich sind. Bei solchen Texten ist die Umwandlung dieser Ergänzungen in Ergänzungssätze vorteilhaft, weil dabei oft leichter verständliche Texte entstehen.

(1) Die Einsichten führten *zur Anwendung naturwissenschaftlicher Kenntnisse bei der Konstruktion von Maschinen.*
→ Die Einsichten führten *dazu, dass naturwissenschaftliche Kenntnisse bei der Konstruktion von Maschinen angewandt wurden.*

(2) Das bedeutete *die Möglichkeit zunehmender Mechanisierung der Arbeit.*
→ Das bedeutete, *dass die Arbeit zunehmend mechanisiert werden konnte.*

(3) Für den Aufbau der Fabriken war *der Einsatz beträchtlichen Kapitals* notwendig.
→ Für den Aufbau der Fabriken war *es* notwendig, *beträchtliches Kapital einzusetzen.*

(4.1) *Der weitere Verlauf der technischen Entwicklung* ließ sich nicht voraussehen.
→ *Wie die technische Entwicklung weiter verlaufen würde,* ließ sich nicht voraussehen.

(4.2) *Nach den Folgen der Industrialisierung für den Menschen und die Natur* fragte damals noch niemand.
→ Damals fragte noch niemand *(danach), welche Folgen die Industrialisierung für den Menschen und die Umwelt haben würde.*

(1) Präpositional-Ergänzung → (Präpositional-)Ergänzungssatz

(2) Akkusativ-Ergänzung → (Akkusativ-)Ergänzungssatz

(3) Nominativ-Ergänzung (Subjekt) → (Nominativ-)Ergänzungssatz (= Subjektsatz)

(4) alle Ergänzungstypen → indirekte Fragesätze (falls es die Bedeutung zulässt.)

13. *Verbalisierung von Ergänzungen*

Bei der Verbalisierung kommt es darauf an, das passende Prädikatsverb bzw. -adjektiv zu finden und die richtige Form des Prädikats zu bilden.

Formen Sie folgende nominale Ergänzungen in Ergänzungssätze um!

1. **Nomen** → *Verb* (*Aktiv*)
Wir rechnen nicht **mit seinem Kommen.**

→ Wir rechnen nicht *damit, dass* . . . .
DARWIN war **von der Entstehung der heutigen Tier- und Pflanzenarten aus früheren** überzeugt.

→ Darwin war *(davon)* überzeugt, *dass* . . . .

2. **Nomen** → *Verb* (*Passiv*)
Wir treten **für die Abschaffung der Todesstrafe** ein.

→ Wir treten *dafür* ein, *dass* . . . .
Wir bestehen **auf der Einhaltung der Menschenrechte.**

→ Wir bestehen *darauf, dass* . . . .

3. **Nomen** → *Verb (reflexiv)*
   Wir hoffen **auf die Besserung ihres Gesundheitszustandes.**

   → Wir hoffen (*darauf*), *dass* ....

   Man muss **die weitere Ausbreitung von AIDS** befürchten.

   → Man muss befürchten, *dass* ....

4. **Nomen** → *Adjektiv + „sein"*
   NEWTON vertraute **auf die Richtigkeit seiner Theorie.**

   → NEWTON vertraute *darauf, dass* ....

   Wir sind **von der Unschuld des Angeklagten** überzeugt.

   → Wir sind (*davon*) überzeugt, *dass* ....

5. **Teil des Nomens** (<u>Grundwort</u>) → *Verb*
   Wir wenden uns **gegen die Umwelt<u>zer</u>störung.**

   → Wir wenden uns *dagegen, dass* ....

   Die UNICEF, das Kinderhilfswerk der UN, fordert **ein generelles Kinderarbeits-<u>verbot</u>.**

   → Die UNICEF fordert, *dass* ....

6. **Partizipialattribut** → *Verb*
   Die zunehmende Kriminalität ist beunruhigend.

   → Es ist beunruhigend, *dass* ....

   Habt ihr euch **an das sich ständig ändernde Wetter in Deutschland** gewöhnt?

   → Habt ihr euch *daran* gewöhnt, *dass* ....?

7. **Adjektivattribut** → *Adjektiv + „sein"*
   Deutsche Touristen wundern sich oft **über die relativ hohen Preise in französischen Restaurants.**

   Sie wundern sich oft (*darüber*), *dass* ....

   Wir waren erstaunt **über die außerordentlich geringe Wahlbeteiligung der Bürger.**

   → Wir waren erstaunt (*darüber*), *dass* ....

14. *Verbalisieren Sie die Nominalgruppe! (Bilden Sie hier immer das Präteritum!)*

1. die pünktliche Abfahrt des Zuges → *Der Zug fuhr pünktlich ab.* (Aktiv)
2. die schnelle Lösung des Problems → *Das Problem wurde schnell gelöst.* (Passiv)
3. die allmähliche Wetterbesserung → *Das Wetter besserte sich allmählich.* (Reflexiv)

4. die langsame Steigerung des Tempos →

5. der unerwartete Tod des Präsidenten →

6. das Ende des Semesters am 15. Juli →

7. das plötzliche Versagen des Bremssystems
   →
8. die einstimmige Ablehnung des Vorschlags
   →
9. die starke Überarbeitung des Textes →
10. die deutliche Verlangsamung des Wirtschaftswachstums
    →
11. der tagelange Regen →
12. die vorschriftsmäßige Durchführung der Prüfung
    →
13. die Rückkehr ihres Freundes aus Wien
    →
14. die Ermordung des Politikers durch das Militär
    →
15. die überraschende Änderung ihrer Einkommensverhältnisse
    →
16. der erneute Anstieg der Ozonwerte
    →
17. die Berichtigung der Fehler →
18. die schnelle Ausbreitung der unheilbaren Krankheit
    →
19. die Verbreiterung der Straße um 2 m →
20. der pünktliche Beginn der Regenzeit →
21. die erfolgreiche Operation des Verletzten
    →
22. die Erfindung des Dieselmotors im Jahre 1892
    →
23. das vermehrte Auftreten von Seuchen
    →
24. die strenge Qualitätskontrolle →
25. die Verlängerung der Ferien um eine Woche
    →
26. die Verdoppelung der Einwohnerzahl innerhalb eines Jahrzehnts
    →
27. die weitere Zunahme der Zahl der Verkehrsunfälle
    →
28. die kostenpflichtige Entsorgung des Sondermülls
    →

3.6.1 Präpositional-Ergänzungen → Ergänzungssätze

(1) Die Leute ärgern sich *über das Ansteigen der Preise.*
 → Die Leute ärgern sich *darüber, dass die Preise ansteigen.*

(2) Die ganze Familie freut sich *auf die Reise im Sommer.*
 → a) Die ganze Familie freut sich *darauf, dass sie im Sommer verreist.* (ident. Subj.: → b)
 → b) Die ganze Familie freut sich *darauf, im Sommer zu verreisen.*

(3) Die Diskussion wird hoffentlich *zur Lösung des Problems beitragen.*
 → a) Die Diskussion wird hoffentlich *dazu* beitragen, *dass das Problem gelöst wird.*
  …, dass man das Problem löst. (Subj.$_{NS}$=man: → b)
 → b) Die Diskussion wird hoffentlich *dazu* beitragen, *das Problem zu lösen.*

(4) Ich möchte dich *um deine Unterstützung* bitten.
 → a) Ich möchte dich *(darum)* bitten, *dass du mich unterstützt.* (Erg.$_{HS}$ = Subj.$_{NS}$: → b)
 → b) Ich möchte dich *(darum)* bitten, *mich zu unterstützen.*

- Ergänzungssätze sind *dass*-Sätze bzw. Infinitivsätze. (Oder sie sind indirekte Fragesätze, s. Nr. 3.6.4)
- Statt *dass*-Sätzen benutzt man lieber Infinitivsätze, wenn das Subjekt des Nebensatzes mit dem Subjekt des Hauptsatzes identisch ist (2),
 oft auch dann, wenn das Subjekt des Nebensatzes *man* ist (3)
 oder wenn das Subjekt des Nebensatzes mit einer anderen Ergänzung des Hauptsatzes identisch ist (4).
- Bei der Umwandlung wird die Präposition zu einem Pronominaladverb (*Korrelat*) im Hauptsatz.
 Das Korrelat steht bei komplexen Prädikaten meistens vor dem zweiten Prädikatsteil (3), (4). Bei vielen Verben kann das Korrelat weggelassen werden.

15. Formen Sie um!

1. Es kommt jetzt auf schnelle Hilfe für die Katastrophenopfer an.
 →

2. Die Diskussion trug nicht zur Klärung des Problems bei.
 →

3. Die Stadtverwaltung muss sich auf die Abnahme der Einwohnerzahl einstellen.
 →

4. Ich habe mich überraschend schnell an die Nachtarbeit gewöhnt.
 →

5. Die Journalisten gehen von einer Erhöhung der Mehrwertsteuer um 1 Prozentpunkt aus.
 →

6. Ich bin am Wechsel meines Studienortes sehr interessiert.
   →

7. Viele Studierende sind über den häufigen Ausfall von Vorlesungen verärgert.
   →

8. Der Rektor rechnet fest mit seiner Wiederwahl.
   →

9. Er ist natürlich froh über die günstige Beurteilung seines Referats.
   →

10. Die Eltern müssen auf den regelmäßigen Schulbesuch ihrer Kinder achten.
    →

11. Die Techniker sind mit den Vorbereitungen für das nächste Experiment beschäftigt.
    →

12. Das Beschäftigungsprogramm soll zum Rückgang der Arbeitslosenzahlen führen.
    →

13. Einige Abgeordnete treten für die Einführung einer Sonderabgabe ein.
    →

14. Sie können sich auf die Einhaltung des Termins durch unsere Mitarbeiter verlassen.
    →

15. Die Kommission zweifelte an der Echtheit der vorgelegten Dokumente.
    →

16. Die Richter ließen sich von der Unschuld der Angeklagten überzeugen.
    →

17. Sie können mich nicht zur Unterzeichnung dieses Vertrags überreden!
    →

18. Nach Meinung der Experten ist von einer Wertsteigerung des Euro auszugehen.
    →

19. Warum sollten wir auf die Erstattung unserer Kosten verzichten?
    →

20. Sie war über die Höhe der Bearbeitungsgebühr sehr erstaunt.
    →

21. Viele politische Beobachter wunderten sich über das Zustandekommen dieser Koalition.
    →

3.6.2 Akkusativ-Ergänzungen → Ergänzungssätze

(1) Man kritisierte *die Teilnahme des Politikers an der Demonstration.*
→ <u>Man</u> kritisierte, *dass <u>der Politiker</u> an der Demonstration teilnahm.*

(2) Wir versprechen *die pünktliche Bezahlung der Miete.*
→ a) <u>Wir</u> versprechen, *dass die Miete pünktlich bezahlt wird.*
...*dass <u>wir</u> die Miete pünktlich bezahlen.* (ident. Subjekt: → b)
→ b) Wir versprechen, *die Miete pünktlich zu bezahlen.*

(3) Sie fordern *die Verkürzung der Arbeitszeit.*
→ a) Sie fordern, *dass die Arbeitszeit verkürzt wird.*
... *dass <u>man</u> die Arbeitszeit verkürzt.* (Subj.$_{NS}$ = man: → b)
→ b) Sie fordern, *die Arbeitszeit zu verkürzen.*

(4) Die Eltern erlauben ihrer Tochter *den Besuch der Disco.*
→ a) Die Eltern erlauben <u>ihrer Tochter</u>, *dass <u>sie</u> die Disco besucht.* (Erg.$_{HS}$ = Subj.$_{NS}$: → b)
→ b) Die Eltern erlauben ihrer Tochter, *die Disco zu besuchen.*

(5) Wir versprechen (*es*), *die Miete pünktlich zu bezahlen.*
Die Eltern erlauben (*es*) ihrer Tochter, *die Disco zu besuchen.*

- Ergänzungssätze sind *dass*-Sätze bzw. Infinitivsätze. (Oder sie sind indirekte Fragesätze, s. Nr. 3.6.4).
- Statt *dass*-Sätzen benutzt man lieber Infinitivsätze, wenn das Subjekt des Nebensatzes mit dem Subjekt des Hauptsatzes identisch ist (2),
oft auch dann, wenn das Subjekt des Nebensatzes *man* ist (3)
oder wenn das Subjekt des Nebensatzes mit einer anderen Ergänzung des Hauptsatzes identisch ist, besonders bei Verben mit Partnerbezug (4).
- Bei einigen Verben kann ein *es* als Korrelat auf den (Akkusativ-)Ergänzungssatz hinweisen (5).

16. *Formen Sie die Akkusativ-Ergänzungen in Nebensätze um!*

1. Die Bank empfiehlt ihren Kunden den Kauf von Aktien.
→

2. Das Chemiewerk bestreitet die Verschmutzung des Wassers.
→

3. Man muss eine weitere Verschlechterung ihres Gesundheitszustands befürchten.
→

4. Die Opposition hat den Abbruch der diplomatischen Beziehungen gefordert.
→

5. Das Rauschmittelgesetz verbietet den Handel mit Drogen.
→

6. Schüler werfen den Lehrern oft Ungerechtigkeit vor.
→

7. Ein Untersuchungsausschuss stellte Verstöße gegen das Parteispendengesetz fest.
→

3.6.3 Subjekte → Subjektsätze

(1) *Seine Unfreundlichkeit* ärgerte mich sehr.
→ *Dass er unfreundlich war*, ärgerte mich sehr.

(2) *Die Benutzung eines Wörterbuchs* ist nicht erlaubt.
→ (*Dass <u>man</u> ein Wörterbuch benutzt*, ist nicht erlaubt.) (Subj. = man)
→ *Ein Wörterbuch zu benutzen* ist nicht erlaubt.

(3) *Die Diskussion mit euch* hat uns Freude gemacht.
→ (*Dass <u>wir</u> mit euch diskutiert haben*, hat <u>uns</u> Freude gemacht.) (Subj.$_{NS}$ = Erg.$_{HS}$)
→ *Mit euch zu diskutieren* hat uns Freude gemacht.

(4) *Die Reisen des Präsidenten nach Moskau und Beijing* **waren** eine große Überraschung.
→ *Dass der Präsident nach Moskau und nach Beijing reiste*, **war** eine große Überraschung.

(5) *<u>Es</u>* ärgerte mich sehr, *dass er unfreundlich war*.
Mich ärgerte (*<u>es</u>*) sehr, *dass er unfreundlich war*.

– Subjektsätze sind *dass*-Sätze bzw. Infinitivsätze. (Oder sie sind indirekte Fragesätze, s. Nr. 3.6.4).
– Statt *dass*-Sätzen benutzt man lieber Infinitivsätze, wenn das Subjekt des Nebensatzes *man* ist (2) oder wenn das Subjekt des Nebensatzes mit einer Ergänzung im Hauptsatz identisch ist (3).
– Der Subjektsatz gilt immer als Singular (4).
– Meistens ist der Subjektsatz nachgestellt. Im vorangehenden Hauptsatz wird sehr oft das Korrelat *es* benutzt. Meistens steht *es* auf Position I (5). (s. Nr. 17.4)

17. *Formen Sie um!*

1. Die Entwicklung eines neuen Automodells dauert etwa fünf Jahre.
→

2. Die Zusammenarbeit mit den ausländischen Kollegen machte uns viel Spaß.
→

3. Ist das Interesse so vieler Leute an diesem Film nicht erstaunlich?
→

4. Die Erweiterung der Seminarbibliothek war nötig geworden.
→

5. Die Katalogisierung der Neuerwerbungen gehört zu den Aufgaben der Bibliothekarin.
→

6. Nicht an allen deutschen Universitäten ist das Studium afrikanischer Sprachen möglich.
→

7. Die Anschaffung eines Computers ist sehr empfehlenswert.
→

8. Der Abbau der Arbeitslosigkeit und die Bekämpfung der Inflation sind entscheidend für den wirtschaftlichen Aufschwung. →

3.6.4 Ergänzungen → indirekte Fragesätze

(1) Ich bin sehr gespannt *auf das Ende des Films.*
     → Ich bin sehr gespannt *(darauf)*, **wie** *der Film endet.*

   Er hat sich *nach Arbeitsmöglichkeiten in Berlin* erkundigt.
     → Er hat sich *(danach)* erkundigt, **welche** *Arbeitsmöglichkeiten es in Berlin gibt.*

   Man fragte uns *nach unseren Herkunftsländern.*
     → Man fragte uns, *aus* **welchen** *Ländern wir kommen.*

(2) Er hat *nach der Notwendigkeit einer Arbeitserlaubnis* gefragt.
     → Er hat *(danach)* gefragt, **ob** *eine Arbeitserlaubnis notwendig ist.*

   Seine Teilnahme an der Konferenz ist noch fraglich.
     → **Ob** *er an der Konferenz teilnimmt,* ist noch fraglich.
     → *Es ist noch fraglich,* **ob** *er an der Konferenz teilnimmt.*

- Wenn der Inhalt der Ergänzung ungewiss oder fraglich ist, hat der Ergänzungs-
  satz die Form eines indirekten Fragesatzes.
- Bei *w*-Fragen beginnt der indirekte Fragesatz mit einem **Fragewort (*w-Wort*).** (1)
  Wenn in der Frage eine Präposition vorkommt, steht sie vor dem Fragewort.
- Bei *ja / nein*-Fragen beginnt der Nebensatz mit **ob**. (2)
- Die Korrelate fallen häufig weg.

18. *Bilden Sie indirekte Fragesätze!*

1. Können Sie mich über Flugmöglichkeiten nach Lima informieren?
   →

2. Wir fragen uns nach dem Sinn des Lebens.
   →

3. Die Höhe des Stipendiums hängt nicht von dem gewählten Studienfach ab.
   →

4. Der Ausgang der Wahlen ist völlig ungewiss.
   →

5. Techniker denken über eine Optimierung des Fertigungsprozesses nach.
   →

6. Sie stritten sich über die Gefährlichkeit von Drogen.
   →

7. Du solltest dich umgehend nach dem nächsten Prüfungstermin erkundigen!
   →

8. Der Anrufer konnte nicht ermittelt werden.
   →

9. Ich möchte das Ergebnis der Testreihe erfahren.
   →

10. Der Arzt fragte den Patienten nach Körpergröße und -gewicht.
    →

19. Formen Sie um! Bilden Sie Ergänzungssätze!

1. Unsere Aufgabe besteht in der Umformung von Ergänzungen in Ergänzungssätze.
→

2. Über die Zulassungsbedingungen der einzelnen Universitäten kann man sich im Internet informieren.
→

3. Beim Abschlusstest ist die Benutzung von Formelsammlungen nicht erlaubt.
→

4. Kann ich mich auf die Vollständigkeit Ihrer Internet-Recherchen verlassen?
→

5. Die Institutsleiterin ist über die schnelle Reaktion der Verwaltung auf ihren Antrag sehr erstaunt.
→

6. Ich will mich auf die Übersetzung eines kurzen Abschnitts beschränken.
→

7. Wir werden uns über die nächtlichen Störungen durch unsere Nachbarn beschweren.
→

8. Man konnte mich noch nicht zur Abschaffung meines Autos überreden.
→

9. Fast alle Unfälle im Straßenverkehr lassen sich auf falsches Verhalten von Verkehrsteilnehmern zurückführen.
→

10. Die Grünen treten für eine Geschwindigkeitsbegrenzung auf 30 km/h innerorts ein.
→

11. Seinen jetzigen Aufenthaltsort hält er geheim.
→

12. Wissenschaftler rechnen mit einer Erhöhung der Jahresdurchschnittstemperatur.
→

13. Haben Sie schon von der Entdeckung eines neuen subatomaren Teilchens gehört?
→

14. Viele Kongressbesucher waren mit der Verschiebung der Podiumsdiskussion nicht einverstanden.
→

15. Die Teilnahme der pakistanischen Delegation an der Konferenz ist ungewiss.
→

16. Die Ursachen des Waldsterbens sind von verschiedenen Expertengruppen erforscht worden.
→

17. Die Opposition verlangt den sofortigen Rücktritt des Innenministers.
    →
18. Die Angeklagte muss mit einer Verurteilung zu einer langjährigen Haftstrafe rechnen.
    →
19. Die Gewerkschaft fordert die Einführung der 35-Stunden-Woche.
    →
20. Der Kunde bestand auf der Rücknahme des fehlerhaften Gerätes durch die Herstellerfirma.
    →
21. Der Rückgang der Zahl der Bauanträge war auf den Zinsanstieg zurückzuführen.
    →
22. Die zunehmende Arbeitslosigkeit hängt mit dem Einsatz neuer Technologien zusammen.
    →
23. Man muss nach den Kosten dieses Projekts fragen.
    →
24. Die Rezession ist an der nachlassenden Investitionstätigkeit und der gleichzeitig zunehmenden Zahl von Konkursen zu erkennen.
    →
25. Bei der Planung hatte man eine Verdopplung der Studierendenzahlen in diesem Studienfach innerhalb von drei Jahren nicht vorhersehen können.
    →

20. *Nominalisieren Sie die Ergänzungssätze!* (Zur Nominalisierung s. Nr. 11)

1. Unsere Reisepläne hängen davon ab, wie sich das Wetter entwickelt.
   →
2. Sie freuen sich darauf, morgen ihre Eltern zu besuchen.
   →
3. Wir müssen gemeinsam darüber nachdenken, wie das Problem am sinnvollsten zu lösen ist.
   →
4. Die Firma plant, 200 neue Mitarbeiter einzustellen.
   →
5. Ich bin froh darüber, dass mein Referat so gut beurteilt worden ist.
   →
6. Wir müssen uns noch danach erkundigen, wann die Bibliothek geöffnet ist.
   →

7. Bist du damit zufrieden, wie der Sprachkurs bisher verlaufen ist?

→

8. Ich habe noch nicht herausgefunden, wo und wann die Antrittsvorlesung von Frau Professor Klippert stattfindet.

→

9. Die Techniker haben bereits damit begonnen, die Anlage zu überprüfen.

→

10. Es kommt darauf an, dass sich der Druck möglichst gleichmäßig verteilt.

→

11. Die UNICEF verlangt, dass Kinderarbeit generell verboten wird.

→

12. Viele Politiker fordern, Möglichkeiten zur Kontrolle des Internets zu schaffen.

→

13. Der Innenminister tritt dafür ein, dass die Zahl der Wahlkreise weiter verringert wird.

→

14. Die Kommission hat es abgelehnt, den Wahltermin zu verschieben.

→

15. Die Fahrgäste ärgern sich darüber, dass die Fahrpreise erhöht worden sind.

→

16. Die Presse berichtete ausführlich darüber, welche Vor- und Nachteile der weitere Ausbau der Umgehungsstraße mit sich bringen wird.

→

17. Bei einem Abbruch der Friedensgespräche befürchten viele, dass sich das politische Klima deutlich verschlechtern wird.

→

18. Dass die Gewerkschaften auf einen Teil ihrer Forderungen verzichtet haben, hat den Kompromiss erst ermöglicht.

→

19. Der Kanzler bat die Abgeordneten, dem Gesetz in seiner überarbeiteten Form zuzustimmen.

→

20. Die drastische Gebühren-Erhöhung für Lkw-Transporte in der Schweiz hat dazu geführt, dass sich der Güterverkehr zunehmend von der Straße auf die Schiene verlagert.

→

4 Angaben

4.1 Angaben in nominaler Form

Vor Antritt einer Ferienreise ins Ausland muss man viele Dinge bedenken. *Zur allgemeinen Information* genügt es, sich von der Touristik-Zentrale des betreffenden Landes Reiseprospekte kommen zu lassen. Größere Reisen sollte man aber nicht *ohne sorgfältige Vorbereitung* antreten. Die meisten Leute kaufen sich einen Reiseführer
5 oder leihen sich Reiseliteratur *wegen der geringeren Kosten* in der Stadtbibliothek aus.

Dann stellt sich die Frage nach dem Verkehrsmittel. *Aus Gründen der Bequemlichkeit* reisen besonders Familien gern mit dem Auto, aber *bei großen Entfernungen* ist eine Flugreise doch angenehmer. *Vor dem Kauf des Flugtickets* lohnt es sich, die Preise der verschiedenen Reiseveranstalter zu vergleichen. Das ist noch wichtiger *bei Buchung*
10 *einer Pauschalreise. Trotz des Fluges mit derselben Fluggesellschaft* und *trotz Unterbringung im selben Hotel* können die Preise für die Urlauber nämlich sehr unterschiedlich sein. Deshalb sollte man sich wirklich erst *nach einem gründlichen Studium vieler Angebote* für einen bestimmten Veranstalter entscheiden.

Durch Nutzung des Internets kann man sich heute am umfassendsten über die ver-
15 schiedenen Angebote informieren.

21. *Können Sie die nominalen Angaben dieses Textes in Nebensätze umwandeln? Versuchen Sie es!*

  Bevor man eine Ferienreise ins Ausland antritt, muss man . . . .

4.2 Nominale Angaben / Angabesätze

Angaben in nominaler Form können in *Angabesätze* umgewandelt werden und umgekehrt (Nominalisierung s. Nr. 11). Dabei entsprechen bestimmte **Präpositionen** in der nominalen Angabe bestimmten **Subjunktionen** im Nebensatz.

	nominale Angaben (mit entsprechender **Präposition**)	Angabesätze (mit entsprechender **Subjunktion**)
temporal	bei ⎫ (zu) ⎭	⎰ wenn ⎱ als
	vor	bevor
	während	⎰ während ⎱ solange
	nach	nachdem
	mit ⎫ (sofort) nach ⎭	sobald
	bis (zu)	bis
	seit	seit(dem)

kausal	wegen aufgrund infolge aus	weil da (zumal)
final	zu zwecks für	damit um zu + *Inf.*
konzessiv	trotz ungeachtet	obgleich obwohl obschon
konditional	bei (im Falle)	wenn falls Ø
proportional	entsprechend je nach	je ... (desto / umso)
modal	durch	indem dadurch, dass
konsekutiv	(zu)	sodass
adversativ	(im Vergleich zu) (im Gegensatz zu)	während
	negativ: anstelle (an)statt	anstatt dass anstatt ... zu + *Inf.*
komitativ	unter mit	wobei
	negativ: ohne	ohne dass ohne ... zu +*Inf.*
referenziell	entsprechend laut gemäß zufolge nach (Meinung, Ansicht etc.)	wie + *Verb des Mitteilens*

4.3 Nominale Temporal-Angaben   ↔   Temporalsätze

(1) *Bei / (Zu) Ferienbeginn*   ↔   *Wenn* die Ferien beginnen,
     gibt es auf den Straßen Staus.   gibt es auf den Straßen (immer) Staus.
                                           (Gegenwart bzw. Zukunft)

(2.1) *Bei Ferienbeginn*   ↔   *Als* die Ferien begannen,
      brach sich Otto ein Bein.   brach sich Otto ein Bein.
                                       *(Vergangenheit: **einmaliger Vorgang**)*

(2.2) *Bei Ferienbeginn*   ↔   *Wenn* die Ferien begannen,
      wurde unsere Schule immer in   wurde unsere Schule immer in eine
      eine Jugendherberge umgewan-   Jugendherberge umgewandelt.
      delt.   *(Vergangenheit: **wiederholter Vorgang**)*

(3) *Vor dem Essen*   ↔   *Bevor* man isst,
     wäscht man sich die Hände.   wäscht man sich die Hände.

(4.1) *Während des Essens*   ↔   *Während* wir aßen,
      redeten wir über das Wetter.   redeten wir über das Wetter.

(4.2) *Während des Fluglotsenstreiks*   ↔   *Solange* die Fluglotsen streikten,
      ruhte der gesamte Zivilluftver-   ruhte der gesamte Zivilluftverkehr.
      kehr.

(5) *Nach dem Frühstück*   ↔   *Nachdem* Otto *gefrühstückt hat,*
     rasiert sich Otto.   rasiert er sich.
                              *(HS: Gegenwart → NS: **Perfekt**)*

     Nach dem Frühstück gingen wir   ↔   *Nachdem* wir *gefrühstückt hatten,*
     schwimmen.   gingen wir schwimmen.
                       *(HS: Vergangenheit → NS: **Plusquamperfekt**)*

(6.1) *Mit Sonnenaufgang*   ↔   *Sobald* die Sonne aufgeht,
      ruft der Muezzin zum Gebet.   ruft der Muezzin zum Gebet.

(6.2) *Sofort nach Erhalt des Briefes*   ↔   *Sobald* ich den Brief erhalten hatte,
      habe ich Anna angerufen.   habe ich Anna angerufen.

(7) *Bis zur vollständigen Bezahlung*   ↔   *Bis* die Ware vollständig bezahlt ist,
     bleibt die Ware Eigentum des   *(... bezahlt worden ist,)*
     Verkäufers.   bleibt sie Eigentum des Verkäufers.

(8) *Seit der Trennung von Otto*   ↔   *Seit(dem)* Anna sich von Otto getrennt hat,
     lebt Anna in Italien.   *(Seit(dem) Anna von Otto getrennt ist,)*
                                  lebt sie in Italien.

22. *Formen Sie die nominalen Temporal-Angaben in Nebensätze um!*

1. Der Minister will bei der Werksbesichtigung mit den Arbeitern diskutieren.
   → *Wenn der Minister das Werk besichtigt, will er mit den Arbeitern diskutieren.*
2. Beim Verlassen des Labors ist die Überwachungsanlage zu aktivieren.
   →
3. Zu Beginn des Semesters finden Informationsveranstaltungen statt.
   →
4. Beim Herunterfahren des Computers erschienen immer Fehlermeldungen auf dem Bildschirm.
   →
5. Ich hatte den Benutzerausweis beim Verlassen der Bibliothek noch bei mir.
   →
6. Es ist wichtig, dass man sich vor einem Wechsel des Studienortes über die Anerkennung von Leistungsnachweisen informiert.
   →
7. Vor der Inbetriebnahme des Geräts sollte man die Bedienungsanleitung sorgfältig lesen.
   →
8. Während der Entschärfung der Bombe war das Gebiet weiträumig abgesperrt.
   →
9. Das Sprachlabor kann nur während der Öffnungszeiten des Sekretariats benutzt werden.
   →
10. Peter will nach Abschluss seines Studiums in den diplomatischen Dienst eintreten.
    →
11. Nach der vorzeitigen Entlassung aus dem Gefängnis beging Max sofort wieder neue Straftaten.
    →
12. Mit Ende der Sommerzeit werden die Uhren um eine Stunde zurückgestellt.
    →
13. Sofort nach Bekanntwerden des Abstimmungsergebnisses fielen die Aktienkurse.
    →
14. Bis zum Beginn der Direktübertragung sind es keine zwei Minuten mehr.
    →
15. Bis zur Durchführung dieses Experiments waren umfangreiche Vorarbeiten nötig.
    →
16. Seit Ausbruch der Unruhen sind immer wieder Geschäfte geplündert worden.
    →

23. *Formen Sie die nominalen Temporal-Angaben in Nebensätze um!*

1. Während der Abwesenheit der Sekretärin hat niemand das Büro betreten.
   →
2. Vor Einnahme des Medikaments muss die Flasche geschüttelt werden.
   →
3. Nach dem starken Regen in der vergangenen Nacht steigen die Flüsse weiter an.
   →
4. Bei jedem Halt fragte die alte Dame den Busfahrer, ob sie jetzt aussteigen müsse.
   →
5. Erst lange nach dem Blitz hörten wir den Donner in der Ferne.
   →
6. Seit der Wiedereröffnung der Diskothek wird dort mit Drogen gehandelt.
   →
7. Gestern Abend habe ich mit Otto telefoniert; zur selben Zeit hat Olaf mehrmals versucht, mich anzurufen.
   →
8. Bis zur sicheren Beherrschung einer Fremdsprache braucht man viele Jahre.
   →
9. Denken Sie bitte vor der Beantwortung der Prüfungsfragen gründlich nach!
   →
10. Bei Arbeiten am Aufzug gab es einen Kurzschluss.
    →
11. Seit der Erweiterung der Verkaufsfläche steigt der Umsatz des Kaufhauses.
    →
12. Die Preise gelten unverändert bis zum Erscheinen einer neuen Preisliste.
    →
13. Kontrollieren Sie die Ware bei Eingang auf Transportschäden!
    →
14. Bitte überweisen Sie kein Geld vor Erhalt der Rechnung!
    →
15. Erst nach Begleichung der Rechnung geht die Ware in das Eigentum des Käufers über.
    →
16. Schon bald nach seiner Wahl zum Regierungschef vergaß er alle seine Wahlversprechen.
    →
17. Bei der Eröffnung des neuen Großflughafens kam es zu Zusammenstößen zwischen Demonstranten und der Polizei.
    →

* 24. *Formen Sie die nominalen Temporal-Angaben in Nebensätze um!*

1. Unmittelbar nach der Installation der Anlage beginnt die einjährige Garantiezeit.

    →

2. Noch vor Ablauf der Garantiezeit kann auf Wunsch ein Wartungsvertrag abgeschlossen werden.

    →

3. Während der Laufzeit des Vertrags besteht ein Anspruch auf schnellstmögliche Reparaturleistungen.

    →

4. Vor Inanspruchnahme des Reparaturdienstes sind alle Einzelfunktionen der Anlage zu überprüfen.

    →

5. Bis zum Eintreffen eines Monteurs kann die Anlage ggf. (gegebenenfalls) mit dem „Notprogramm" betrieben werden.

    →

6. Sofort nach Abschluss der Reparaturarbeiten ist ein Test aller Funktionen durchzuführen.

    →

7. Während der Testdurchführung ist ein Protokoll anzufertigen.

    →

8. Bei der Protokollierung des Probelaufs sind alle Messwerte in ein Formblatt einzutragen.

    →

9. Vor der Unterzeichnung des Protokolls durch den Betreiber und den Monteur muss die Vollständigkeit aller Eintragungen sichergestellt sein.

    →

10. Nach erneuter Inbetriebnahme sollte in den ersten drei Betriebsstunden die Leistung der Anlage auf max. 60 % reduziert werden.

    →

11. Seit Einführung dieser Regelung sind im Dauerbetrieb deutlich weniger Störfälle aufgetreten als vorher. (aus einer technischen Betriebsanleitung)

    →

25. *Formen Sie die Temporalsätze in nominale Temporal-Angaben um!*
(Zur Nominalisierung s. Nr. 11)

1. In Japan zieht man die Schuhe aus, bevor man ein Haus betritt.
   → *In Japan zieht man vor dem Betreten eines Hauses die Schuhe aus.*
2. Leider können wir nicht warten, bis deine Tante aus Marokko ankommt.
   →
3. Wenn Sie das Ausstellungsgelände verlassen, verliert die Eintrittskarte ihre Gültigkeit.
   →
4. Wenn er geboren wurde, bekam ein Römer drei Namen, z. B. Gajus Julius Caesar.
   →
5. Sie konnte ihr Fachstudium erst aufnehmen, nachdem sie die Sprachprüfung bestanden hatte.
   →
6. Solange sie in Köln studierte, haben wir uns fast täglich gesehen.
   →
7. Wenn die Regenzeit beginnt, verwandelt sich die Steppe in ein Blütenmeer.
   →
8. Seitdem eine Flutlichtanlage installiert worden ist, kann auch abends Tennis gespielt werden.
   →
9. Große Säugetiere konnten sich erst dann entwickeln, als die Dinosaurier ausgestorben waren.
   →
10. Bevor die Geschwindigkeitsbeschränkung auf 70 km/h eingeführt wurde, sind auf dieser Straße mehrere schwere Unfälle passiert.
    →

11. Als wir vor fünf Jahren den Mietvertrag abgeschlossen haben, war die Miete viel niedriger als heute.
    →
12. Während der Regierungschef krank war, führte der Außenminister die Amtsgeschäfte.
    →
13. Sobald Ihre Unterlagen eingegangen sind, werden wir Ihren Antrag prüfen.
    →
14. Bis die Versicherung den Schaden endgültig reguliert hatte, waren mehrere Monate vergangen.
    →

Weitere sprachliche Mittel zum Ausdruck temporaler Beziehungen

(1) Temporale „Adverbien"

anschließend	Die Sportwettkämpfe waren um fünf zu Ende; *anschließend* fand die Siegerehrung statt.
bald	Peter liegt schon seit sechs Wochen im Krankenhaus; wir hoffen, dass er *bald* entlassen wird.
bis dahin	Wir warten ungeduldig auf die Ferien; leider sind es *bis dahin* noch 3 Wochen.
da	Ich lag in tiefem Schlaf; *da* klingelte der Wecker.
dabei	Sollen wir einen gemeinsamen Spaziergang machen? *Dabei* könnten wir uns ungestört unterhalten.
damals	Vor 200 Jahren dauerte eine Reise nach Rom noch mehrere Wochen; *damals* gab es weder Züge noch Autos.
danach	Gestern habe ich drei Stunden Tennis gespielt; *danach* war ich sehr erschöpft.
dann	Zuerst muss man Eintritt bezahlen; *dann* kann man das Schloss besichtigen.
davor	Jan studiert seit drei Semestern in Berlin; *davor* hat er in Tübingen studiert.
endlich	*Endlich* seid ihr da! Wir haben schon seit drei Stunden auf euch gewartet.
früher	Alte Leute sagen gern: „*Früher* war die Jugend höflicher als heute. *Früher* war alles besser …"
heute	*Heute* besitzen viele Leute ein Auto.
heutzutage	Vor hundert Jahren war das Telefonieren noch ein Abenteuer, aber *heutzutage* ist der Gebrauch des Telefons etwas Selbstverständliches.
immer	Die Naturgesetze gelten *immer* und überall.
inzwischen	Peter war lange arbeitslos, aber *inzwischen* hat er eine neue Arbeit gefunden.
jetzt / nun	Es hat reichlich geschneit; *jetzt / nun* können wir Ski laufen.
manchmal	*Manchmal* essen wir im Restaurant,
meistens	aber *meistens* kochen wir selbst.
nacheinander	In China serviert man alle Speisen gleichzeitig, in Europa *nacheinander*.
nachträglich	Ich hatte nicht an Annas Geburtstag gedacht; ich habe ihr aber *nachträglich* Blumen geschickt.
nie	In Kuwait schneit es *nie*.
oft / öfter(s)	Wir sehen nur selten fern, aber wir gehen *oft / öfters* ins Kino.
schließlich	Maria hat ihr Diplom gemacht, dann hat sie promoviert. *Schließlich* hat sie sich noch habilitiert.
seitdem / seither	Ich bin mit achtzehn Jahren nach Deutschland gekommen; *seitdem / seither* sind acht Jahre vergangen.
selten	Es regnet sehr *selten* in der Wüste.
(so)eben / gerade	Eva ist *(so)eben / gerade* weggegangen; sie will zum Bus. Vielleicht erreichst du sie noch an der Haltestelle!
sofort / gleich	Sie brauchte nicht lange zu warten; ihr Bus kam *sofort / gleich*.
vorher	Das hättest du mir *vorher* sagen sollen, dass du nicht kommen konntest!
vorhin	Otto hat *vorhin* angerufen; du möchtest bitte zurückrufen.

unterdessen /	Ich bereite das Essen vor; ihr könnt *unterdessen / währenddessen* den Tisch
währenddessen	decken.
zuerst	*Zuerst* das Wasser zum Kochen bringen und dann die Nudeln hineingeben.
zugleich /	Ich kann nicht Auto fahren und *zugleich / gleichzeitig* telefonieren.
gleichzeitig	
zuletzt	Sigmund Freud emigrierte 1938 nach England und lebte *zuletzt* in London.
zunächst	Ich wollte nicht von Anfang an Medizin studieren; *zunächst* hatte ich an Biologie gedacht.
zuvor	Nie *zuvor* hat es einen so trocknen Sommer gegeben wie in diesem Jahr!

26. *Setzen Sie passende „Adverbien" ein!*

1. Heute telefoniert man, _____ schrieb man Briefe.

2. Du musst diese Arbeit zuerst zu Ende bringen. _____ kannst du dich ausruhen.

3. Am Wochenende herrscht wieder starker Ausflugsverkehr auf dieser Straße;

   _____ müssen die Reparaturarbeiten abgeschlossen sein.

4. Das letzte Mal sind wir uns in Köln am Bahnhof begegnet. _____ habe ich nichts mehr von ihm gehört.

5. Die Prüfung beginnt um 10 Uhr. Kommen Sie bitte schon um 9 Uhr 30, denn Sie

   bekommen _____ eine kurze Einführung in den Ablauf der Prüfung.

6. Wenn Sie die Gasheizung reinigen wollen, müssen Sie _____ den Gas-

   hahn zudrehen; _____ dürfen Sie das Gerät öffnen.

7. Wir warteten seit Stunden auf unsere Freunde. _____ ging das Telefon.

8. Ich bin zweimal durch die Fahrprüfung gefallen; jetzt habe ich sie _____ geschafft.

9. Mit meinem Telefonanschluss kann man nicht _____ telefonieren und ein Fax senden. Man muss eines nach dem anderen machen.

10. Alle Vorbereitungen für die Reise waren getroffen; _____ konnte es losgehen.

11. Früher durften Frauen nicht wählen; _____ dürfen sie es (fast überall).

12. Wir haben uns sehr lange nicht gesehen; hoffentlich besuchst du uns _____ wieder einmal.

13. Ich kenne diesen Mann nicht! Ich bin ihm nie _____ begegnet!

14. Ich habe meinen Bruder zuletzt auf der Buchmesse gesehen; _____ sind schon wieder fünf Monate vergangen.

15. Zuerst hat er die Miete nicht bezahlt, dann hat er seinen Vermieter beschimpft,

    _____ ist er ausgezogen.

16. Falls du jetzt ein paar Minuten Zeit hast, komme ich _____ einmal zu dir rüber.

17. Als Kind habe ich sehr oft meine Großeltern besucht; _____ wohnten wir in ihrer Nähe.

18. Ein Visum für die USA gibt es nicht bei der Einreise; man muss es sich _____ _____ besorgen.

19. Dieser Roman liest sich sehr leicht. _____ kann man sogar Musik hören.

20. Ein Wasserrohr war geplatzt, was erst einige Stunden später bemerkt wurde; _____ stand schon der ganze Keller unter Wasser.

21. Eisenbahnen gibt es seit der Mitte des 19. Jahrhunderts. _____ reiste man mit der Postkutsche.

(2) Besonderheiten bei einigen temporalen Adverbien

Die temporalen Adverbien *heute, gestern (vorgestern), morgen (übermorgen), jetzt (nun)* können nur mit Bezug auf den aktuellen Zeitpunkt der Äußerung benutzt werden.

Entsprechendes gilt für die lokalen Adverbien *hier, dort, hierher, dorthin* und einige andere; sie können ebenfalls nur mit Bezug auf die aktuelle Situation benutzt werden.

Wien, 3. März: „*Heute* halte ich *hier* einen Vortrag,
gestern war ich *in Bonn* und
morgen will ich *nach Jena* zurückfahren."

Jena, 29. Mai: „ *Am 3. März* habe ich *in Wien* einen Vortrag gehalten,
am Vortag / am Tag zuvor / am 2. März war ich *in Bonn* und
am folgenden Tag / am nächsten Tag / am 4. März bin ich wieder *hierher* zurückgekommen."

16 Uhr: „*Jetzt* gibt es Kaffee und Kuchen, und
heute Abend (um acht) essen wir warm."

20 Uhr: „*Heute Nachmittag (um vier)* gab es Kaffee und Kuchen, und
jetzt essen wir warm."

Im Gegensatz dazu bezieht sich das temporale Adverb *damals* immer auf eine vorher genannte, relativ weit zurückliegende Zeit.

Europa, 21. Jh.: *Im 14. Jh.* hielten die Menschen die Pestepidemie für eine Strafe Gottes; *damals* waren Bakterien als Krankheitserreger ja noch unbekannt.

im Januar: Erinnerst du dich an *Ottos Geburtstagsfeier im letzten Sommer?* Wir hatten *damals* verabredet, uns nächstes Mal bei mir zu treffen.

* 27. *Übung*

Gustav Beilmann, Vertreter für Textilien, wird am Morgen des 8. Juni tot im Bett seines Hotelzimmers in Husum aufgefunden. Um ein Verbrechen auszuschließen, muss in solchen Fällen die Kriminalpolizei eingeschaltet werden. Auf dem Nachttisch finden die Polizeibeamten Herrn Beilmanns sorgfältig geführtes Tagebuch. Da der 8. Juni ein Freitag ist, nimmt der zuständige Staatsanwalt in Flensburg erst am 11. Juni die Ermittlungen auf. Er ruft die Kriminalpolizei in Husum an und lässt sich von dem mit der Sache befassten Kommissar berichten.

Hier die letzte Seite aus Gustav Beilmanns Tagebuch:

Husum, 7. Juni

Heute fünf Kunden besucht.
Heute Morgen noch einmal in Bredstedt, Kaufhaus Konrad, weil Geschäftsführer Petersen gestern nicht in seinem Büro und auch gestern Abend nicht telefonisch zu erreichen war.
Anschließend bei Hamkens in Leck.
Hier in Husum meine Kunden Schmidt, Topf und Mader besucht. (Gute Abschlüsse!)
Morgen will ich noch nach Schleswig fahren, übermorgen nach Hause.
Heutiges Wetter: drückend heiß.
Fühle mich heute Abend sehr schlapp; will früh schlafen gehen.

Der Husumer Kriminalkommissar gibt dem Staatsanwalt folgenden Bericht:
(Setzen Sie diesen Bericht fort!)

„Dem Tagebuch zufolge hat Beilmann am Donnerstag noch fünf Kunden besucht. Am Donnerstagmorgen war er in Bredstedt im Kaufhaus Konrad, weil . . . .

4.4 Nominale Kausal-Angaben   ↔ **Kausalsätze**

Wegen des Regens blieben wir zu Hause.	↔ *Weil / Da es regnete*, blieben wir zu Hause.
Aufgrund einer Behinderung zahlt Otto weniger Steuern.	↔ *Weil / Da er behindert ist*, zahlt Otto weniger Steuern.
Infolge eines Streiks ruhte der Bahnverkehr.	↔ *Weil / Da gestreikt wurde*, ruhte der Bahnverkehr.
Aus Furcht vor Haien haben wir nicht im Meer gebadet.	↔ *Weil / Da wir uns vor Haien fürchteten*, haben wir nicht im Meer gebadet.
Angesichts der hohen Benzinpreise wird weniger Auto gefahren.	↔ *Weil / Da die Benzinpreise hoch sind*, wird weniger Auto gefahren.
Aus Gründen der Übersichtlichkeit stellt man die Ergebnisse am besten in einem Diagramm dar.	↔ *Weil / Da es übersichtlich(er) ist*, stellt man die Ergebnisse am besten in einem Diagramm dar.

28. *Formen Sie um!*

1. Wegen des unerträglichen Straßenlärms wollen wir hier ausziehen.
   →

2. Aus Freude über die guten Prüfungsnoten veranstalteten die Studierenden eine Fete.
   →

3. Sie bekam den Job aufgrund ihrer guten Zeugnisse.
   →

4. Angesichts fallender Aktienkurse wächst die Nervosität der Anleger.
   →

5. Wegen tagelanger Schneefälle hatten alle Züge Verspätung.
   →

6. Ein Lkw-Fahrer ist aus Übermüdung von der Straße abgekommen.
   →

7. Die Straße war infolge eines Unfalls für mehrere Stunden gesperrt.
   →

8. Aufgrund einer Verbesserung der Operationstechnik hat sich die Lebenserwartung nach Herztransplantationen mehr als verdoppelt.
   →

9. Wieder wurde ein Manager wegen Steuerhinterziehung verhaftet.
   →

10. Der Minister trat aus Krankheitsgründen zurück.
    →

11. Die Anlage muss aufgrund notwendiger Reparaturen für zwei Tage abgeschaltet werden.
    →

* 29. *Bilden Sie Kausalsätze mit den Subjunktionen „weil" oder „da"!*

1. Aufgrund der sehr hohen Zahl der Opfer gilt „Mitch" als der verheerendste Hurrikan des 20. Jahrhunderts.
   → *Weil die Zahl der Opfer sehr hoch war, gilt „Mitch" als der verheerendste Hurrikan des 20. Jahrhunderts.*

2. Infolge ungewöhnlich heftiger Regenfälle wurden große Teile von Nicaragua und Honduras überschwemmt.
   →

3. Wegen der Zerstörung zahlreicher Straßen konnte man die Betroffenen nicht schnell erreichen.
   →

4. Aufgrund fehlender Transportkapazitäten war es unmöglich, die vom Wasser Eingeschlossenen mit Lebensmitteln zu versorgen.
   →

5. Viele Verletzte starben wegen ausbleibender ärztlicher Hilfe.
   →

6. Aus Verzweiflung über den Verlust ihrer Angehörigen begingen einige Dorfbewohner Selbstmord.
   →

30. *Bilden Sie nominale Kausal-Angaben mit passenden Präpositionen!*

1. Die Flutwelle war meterhoch; viele Menschen mussten sich deshalb auf die Dächer ihrer Häuser retten.
   → *Wegen der meterhohen Flutwelle mussten sich viele Menschen auf die Dächer ihrer Häuser retten.*

2. Das Wasser war mit Bakterien verseucht; deswegen durfte es nicht getrunken werden.
   →

3. Die Bevölkerung konnte nur langsam mit Nahrung versorgt werden, denn es gab eine zu geringe Zahl von Hubschraubern.
   →

4. Weil Landeplätze fehlten, mussten Lebensmittel aus der Luft abgeworfen werden.
   →

5. Die Rettungsmaßnahmen waren schlecht koordiniert; deshalb kam es zu zahlreichen Pannen.
   →

6. In Leon bewarfen Betroffene den nicaraguanischen Präsidenten mit Steinen, weil sie über das Verhalten der Regierung wütend waren.
   →

Weitere sprachliche Mittel zum Ausdruck der Kausalität

(1) *denn* und *nämlich*

Wir stellen neue Mitarbeiter ein, **denn** *die Nachfrage nach unseren Produkten hat sich erhöht.*
Wir stellen neue Mitarbeiter ein; *die Nachfrage nach unseren Produkten hat sich* **nämlich** *erhöht.*

denn steht auf Position Ø des Zweitsatzes.
nämlich kann <u>nicht vor</u> der Personalform des Prädikats im Zweitsatz stehen.

31. Drücken Sie die Kausalität mit a) „denn" und b) „nämlich" aus!

1. Die Zeitschrift wurde eingestellt, weil es nicht mehr genug Abonnenten gab.
   a)
   b)
2. Herr Scholz hat im Lotto gewonnen. Er kauft sich einen Mercedes.
   a)
   b)
3. Lea hat seit Tagen hohes Fieber; ihre Eltern lassen deshalb einen Arzt kommen.
   a)
   b)
4. Im ganzen Hotel gab es infolge eines Rohrbruchs kein fließendes Wasser.
   a)
   b)

(2) *deshalb, deswegen, daher, aus diesem Grund, infolgedessen*

Die Nachfrage nach unseren Produkten ist gestiegen; **deshalb / deswegen** *usw.* stellen *wir neue Mitarbeiter ein.* ...; *wir stellen* **deshalb / deswegen** *usw. neue Mitarbeiter ein.*

deswegen usw. stehen auf Position I oder III im Zweitsatz.

32. Drücken Sie die Kausalbeziehung mit „deshalb" usw. aus!

1. Da Hepatitis B eine sehr gefährliche Krankheit ist, raten die Ärzte zur Impfung.
   →
2. Der Minister musste zurücktreten, weil er in eine Korruptionsaffäre verwickelt war.
   →
3. Aus Platzgründen musste ich die Hälfte meiner Bücher verkaufen.
   →
4. Ich bin mit dem Fahrrad gekommen; mein Auto ist nämlich in der Werkstatt.
   →
5. Aufgrund der sinkenden Nachfrage nach Pelzen sind die Preise zurückgegangen.
   →

* 33. Schreiben Sie den folgenden Text neu!
Benutzen Sie jeweils die am Rand angegebenen Wörter!

1. Wegen der Häufigkeit von Wirbelstürmen ist man in Mittelamerika an | *denn*
Katastrophen gewöhnt. ....

....

....

2. So zerstörerisch wie „Mitch" sind aber nur wenige Wirbelstürme, weil die | *nämlich*
meisten über dem Meer bleiben und das Land nur am Rande streifen. ...

....

....

....

3. Über der Wasseroberfläche entsteht kaum Reibung; infolgedessen zie- | *da*
hen die Wirbelstürme und die Regenwolken schneller fort. ....

....

....

4. Über dem Land kommen sie langsamer voran, weil die Erdoberfläche | *deshalb*
dem Wind mehr Widerstand entgegensetzt. ....

....

....

5. „Mitch" wurde auf seinem Weg besonders stark gebremst, da Mittel- | *wegen*
amerika ein sehr gebirgiges Relief hat. ....

....

....

6. Der Wirbelsturm konnte auch nicht nach Norden weiterziehen, weil | *denn*
ihm eine Wetterfront über dem Golf von Mexiko den Weg versperrte.

....

....

7. Über Honduras und Nicaragua lag „Mitch" ungewöhnlich lange. Des- | *weil*
halb konnten die Wolken sich völlig abregnen. ....

....

....

8. Weil mehrere negative Faktoren zusammentrafen, kam es zu dieser | *infolge*
Naturkatastrophe. ....

....

(3) Verben und verbale Ausdrücke

(3.1) Fokussierung von Grund / Ursache: GRUND / URSACHE → FOLGE / WIRKUNG

verursachen A*	Das Unwetter hat große Schäden verursacht.
hervorrufen A*	Salmonellen können gefährliche Darminfektionen hervorrufen.
bewirken A	Die Medikamente haben eine Besserung bewirkt.
führen zu	Regelmäßiger Alkoholkonsum kann zur Abhängigkeit führen.
mit sich bringen A	Der Verlust des Arbeitsplatzes bringt viele Probleme mit sich.
der Grund sein für	Materialfehler sind ein häufiger Grund für Reklamationen.
die Ursache sein für / G	Ein Bandscheibenschaden ist die Ursache für ihre Rückenschmerzen.
liegen an$_D$	Es lag an der schlechten Straße, dass wir so lange gebraucht haben.
zur Folge haben A	Gehirnverletzungen haben oft Sprachstörungen zur Folge.
zur Konsequenz haben A	Die Studentendemonstrationen hatten zur Konsequenz, dass die Regierung zurücktrat.
der Anlass sein für	Der Überfall Iraks auf Kuwait war der Anlass für den 2. Golfkrieg.
auslösen A*	Eine weggeworfene Zigarettenkippe kann einen Waldbrand auslösen.
bedeuten A	Tiefer Luftdruck bedeutet meistens schlechtes Wetter.

* Diese Verben werden häufig im Passiv verwendet.

(3.2) Fokussierung von Folge / Wirkung: FOLGE / WIRKUNG ← GRUND / URSACHE

kommen von	Meine Kopfschmerzen kommen von einer Erkältung.
folgen aus	Aus falschen Voraussetzungen können keine richtigen Ergebnisse folgen.
sich ergeben aus	Die Unschuld des Angeklagten ergab sich aus Zeugenaussagen.
die Folge sein G / von	Die neue Armut ist die Folge der Arbeitslosigkeit.
zurückgehen auf$_A$	Seine Blindheit geht auf eine Augenverletzung zurück.
bedingt sein durch	Die hohe Zahl der Verkehrsunfälle war durch Glatteis bedingt.
zusammenhängen mit	Der Wechsel der Jahreszeiten hängt mit der Stellung der Erdachse zusammen.

(3.3) Der Beobachter kommt mit ins Spiel!

erklären A mit	Man erklärt den Anstieg des Kaffeepreises mit einer Missernte.
zurückführen A auf$_A$	Psychotherapeuten führen seelische Störungen oft auf traumatische Erlebnisse in der Kindheit zurück.

Ausdrucksmöglichkeiten für die *Kausalbeziehung „Rechenfehler → falsches Ergebnis"*:

1. Das falsche Ergebnis geht auf einen Rechenfehler zurück.
2. Das falsche Ergebnis ist auf einen Rechenfehler zurückzuführen.
3. Das falsche Ergebnis ist durch einen Rechenfehler verursacht (worden).
4. Das falsche Ergebnis beruht auf einem Rechenfehler.
5. Das falsche Ergebnis ist durch einen Rechenfehler zustande gekommen.
6. Das falsche Ergebnis ist die Folge eines Rechenfehlers.
7. Dem falschen Ergebnis liegt ein Rechenfehler zugrunde.
8. Das Ergebnis ist falsch, weil ein Rechenfehler vorliegt.
9. Es lag ein Rechenfehler vor, so dass das Ergebnis falsch wurde.
10. Ein Rechenfehler ist (dem Prüfling) unterlaufen; folglich ist das Ergebnis falsch geworden.

34. *Beschreiben Sie die Kausalbeziehung mit dem vorgegebenen Verb!*
   (Achten Sie auch auf eventuell notwendige Artikel!)

 1. Erkrankung eines Lehrers   ⇒ Ausfall des Unterrichts   (bedingt sein)
   → *Der Ausfall des Unterrichts war durch die Erkrankung eines Lehrers bedingt.*
 2. Hungerkatastrophe   ⇒ Flucht in die Nachbarländer   (führen)
   →
 3. Luftverschmutzung   ⇒ Atembeschwerden bei Kleinkindern (zurückführen)
   →
 4. Verkehrsunfall   ⇒ Gehbehinderung   (die Folge sein)
   →
 5. Streiks   ⇒ Produktionsausfall   (bedeuten)
   →
 6. Industrialisierung   ⇒ höherer Bedarf an Arbeitskräften (zur Folge haben)
   →
 7. Automatisierung   ⇒ Wegfall von Arbeitsplätzen   (der Grund sein)
   →
 8. plötzlicher Wetterwechsel ⇒ Schlafstörungen   (verursachen)
   →
 9. Fortschritte in der Medizin ⇒ Bevölkerungszunahme   (zusammenhängen)
   →
10. Viren   ⇒ Grippe und andere Krankheiten   (hervorrufen)
   →
11. Gartenarbeit   ⇒ Ottos gesunde Gesichtsfarbe   (kommen)
   →
12. Überangebot   ⇒ sinkende Preise   (sich ergeben)
   →
13. tagelange Regenfälle   ⇒ Hochwasser in den Flüssen   (erklären)
   →
14. Rücktritt der Regierung   ⇒ Kurssturz an der Börse   (auslösen)
   →
15. Trunkenheit am Steuer   ⇒ schwerer Verkehrsunfall   (die Ursache sein)
   →

4.5 Nominale Final-Angaben   ↔ **Finalsätze**

Sie geht nach Jena *zum Medizinstudium.* ↔ <u>Sie</u> geht nach Jena, *um (dort) Medizin zu studieren.*   (1 Subjekt)

Ich bringe den Wagen *zur Reparatur* in die Werkstatt. ↔ Ich bringe den Wagen in die Werkstatt, *damit* <u>er</u> *repariert wird.*   (2 Subjekte)
um ihn reparieren zu lassen.   (1 Subjekt)

Zwecks Sicherung der Qualität unserer Produkte wird eine Endkontrolle durchgeführt. ↔ *Um die Qualität unserer Produkte zu sichern,* wird eine Endkontrolle durchgeführt.

Otto hat mein Auto *für den Transport seiner Bücherkartons* benutzt. ↔ Otto hat mein Auto benutzt, *um seine Bücherkartons zu transportieren.*

Das Rote Kreuz ist *mit dem Ziel / zum Zweck der Hilfe für die im Krieg Verwundeten* gegründet worden. ↔ Das Rote Kreuz ist gegründet worden, *um den im Krieg Verwundeten zu helfen.*

35. *Formen Sie um! Bilden Sie Finalsätze!*

1. Zollbeamte haben mehrere Autos zur Kontrolle des Gepäcks angehalten.
   →

2. In Deutschland sparen viele Menschen für den Bau oder Kauf eines eigenen Hauses.
   →

3. Zur Energieeinsparung haben wir Thermostatventile in die Heizkörper einbauen lassen.
   →

4. Die Eltern schickten ihre Kinder zur Erholung an die See.
   →

5. Zwecks Vermeidung unnötiger Wartezeiten werden Nummern an die Patienten ausgegeben.
   →

6. Bodenproben vom Mond wurden zur Analyse an verschiedene Labors geschickt.
   →

7. Otto hat mir sein Manuskript zum Durchlesen gegeben.
   →

8. Zur Veranschaulichung ihrer Thesen zeigte die Referentin einige Dias.
   →

9. Man plant eine Umgehungsstraße mit dem Ziel der Verringerung des Verkehrs im Stadtzentrum.
   →

10. Zum Schutz vor Kopfverletzungen müssen Motorradfahrer einen Helm tragen.
    →

11. Zwecks besserer Ausnutzung des Parkplatzes müssen die Autos enger geparkt werden.
    →

Weitere sprachliche Mittel zum Ausdruck einer Finalbeziehung

(1) *dafür* bzw. *wofür*

*Elisabeth will ein Praktikum in Mexiko machen; **dafür** lernt sie Spanisch.*
→ Elisabeth lernt Spanisch, *um ein Praktikum in Mexiko machen zu können.*
*Otto will eine Partei gründen, **wofür*** er 500 Unterschriften braucht.*
→ *Um eine Partei gründen zu können,* braucht Otto 500 Unterschriften.
* Weiterführender Nebensatz, s. Nr. 5

(2) *wollen*, *möchte-*, *sollen*

Wenzel ist um elf gegangen; *weil er vor Mitternacht zu Hause sein **wollte**.*
→ ..., *um vor Mitternacht zu Hause zu sein.*

Peter *möchte* seinen Arbeitsplatz nicht verlieren; *deshalb* macht er häufig Überstunden.
→ *Um seinen Arbeitsplatz nicht zu verlieren, ...*

Man kocht Milch im Wasserbad, *wenn sie nicht überkochen **soll**.*
→ ..., *damit sie nicht überkocht.*

Die Eltern stellten das Radio leise; *(denn) die Kinder **sollten** nicht aufwachen.*
→ ..., *damit die Kinder nicht aufwachten.*

(3) *sonst / ander(e)nfalls* (Achten Sie auf die <u>Negation</u>!)

Ich muss mich beeilen; *sonst verpasse ich den Zug.*
→ ..., *um den Zug <u>nicht</u> zu verpassen.*
Du solltest dich bald für den Kurs anmelden, *da du **sonst** <u>keinen</u> Platz mehr bekommst.*
→ ..., *um noch <u>einen</u> Platz zu bekommen.*
Er meldet sein Cabrio im Winter ab; *andernfalls müsste er das ganze Jahr Steuern zahlen.*
→ ..., *damit er <u>nicht</u> das ganze Jahr Steuern zahlen muss.*
(s. auch Nr. 4.7)

* 36. Formen Sie um! Bilden Sie Sätze mit „sonst" oder „andernfalls"!

1. Elvira singt abends für ihre Kinder, damit sie einschlafen.
   →
2. Um in der Vorlesung nicht einzuschlafen, trinke ich vorher eine Tasse Kaffee.
   →
3. Man muss eine Lupe haben, um diese winzigen Buchstaben lesen zu können.
   →
4. Du musst dich wärmer anziehen, damit du dich nicht erkältest.
   →
5. Herr Noklek will Maschinenbau studieren; dafür muss er ein Praktikum machen.
   →
6. Im Flugzeug müssen Handys ausgeschaltet sein, damit die Elektronik nicht gestört wird. →

Robert Koch

Robert Koch ist einer der Väter der Bakteriologie; er lebte von 1843 bis 1910. Nach seinem Medizinstudium wurde er Landarzt. Gleichzeitig forschte er auf dem Gebiet der Krankheitsursachen. Koch behauptete, dass viele Krankheiten durch lebende Krankheitserreger verursacht werden, aber die meisten Medizinprofessoren
5   seiner Zeit glaubten das nicht; sie lachten über diese Theorie.

Koch entwickelte neue wissenschaftliche Methoden, mit deren Hilfe er seine Theorie beweisen wollte. In den Körperzellen kranker Tiere und Menschen hatte er Bakterien gefunden; er kultivierte diese Bakterien in Glasgefäßen mit einer Nährflüssigkeit. Er experimentierte auch mit Farbstoffen, durch die die Bakterien gefärbt
10 werden; so konnte er sie unter dem Mikroskop leichter erkennen.

Nach vielen Versuchen gelang ihm der Nachweis, dass Tuberkulose durch ein Bakterium verursacht wird. Mit Bakterien aus seinen Kulturen konnte er Mäuse infizieren; sie bekamen Tuberkulose und starben. Tuberkulose ist eine gefährliche Krankheit; sie trat damals häufig auf und endete in sehr vielen Fällen tödlich.
15 Deshalb interessierten sich alle Leute für Kochs Entdeckung. Er wurde schnell in der ganzen Welt berühmt.

Außer dem Bakterium, das die Tuberkulose verursacht, hat Koch noch andere Krankheitserreger entdeckt. Seine wissenschaftlichen Methoden wurden die Grundlage für die Bekämpfung der Infektionskrankheiten. 1905 bekam Robert Koch den
20 Nobelpreis für Medizin. Institute und Straßen tragen seinen Namen.

* **37.** *Formen Sie die folgenden Sätze um! Bilden Sie Finalsätze!*

1. Für seine Experimente mit Bakterien richtete Koch ein Laboratorium in seinem Haus ein.
2. Er machte viele Experimente, weil er die Ursachen von Krankheiten finden wollte.
3. Für die Kultur seiner Bakterien musste Koch spezielle Nährlösungen herstellen.
4. Zur Identifizierung der verschiedenen Bakterien benutzte er Farbstoffe.
5. Koch entwickelte völlig neue Untersuchungsmethoden; sonst hätte er sein Ziel nicht erreicht.
6. Nicht weil er berühmt werden wollte, hat Koch jahrelang Tag und Nacht geforscht;
7. er brauchte unbedingt den Beweis, dass Tuberkulose durch ein Bakterium verursacht wird, sonst hätten ihm die Experten nicht geglaubt.
8. Man verwendete die Erkenntnisse Kochs für die Entwicklung von Medikamenten gegen Infektionskrankheiten.
9. Wenn man eine Infektionskrankheit gezielt behandeln will, muss man den Erreger kennen.
10. Auch einfache Leute lasen die Berichte über Kochs Entdeckung; sie wollten sich über die Heilungschancen bei Tuberkulose informieren.
11. Man hat Institute und Straßen nach Robert Koch benannt, weil der Name dieses bedeutenden Wissenschaftlers nicht vergessen werden soll.

1. Robert Koch richtete ein Laboratorium in seinem Haus ein, um …

4.6 Nominale Konzessiv-Angaben ↔ Konzessivsätze

Trotz *des Rauchverbots* wird hier geraucht.   ↔   **Obwohl** *das Rauchen verboten ist,*
Obgleich wird hier geraucht.
Obschon

seltener:
Ungeachtet *aller Warnungen*
Allen Warnungen **zum Trotz** ist er allein getaucht.   ↔   **Obwohl** *ihn alle gewarnt hatten,* ist er allein getaucht.

38. *Bilden Sie Konzessivsätze!*

1. Die Ärzte haben den Verletzten trotz einer sofortigen Operation nicht retten können.

   →

2. Trotz seiner Bemühungen macht er keine Fortschritte.

   →

3. Die Reisende wurde trotz ihrer Vorsicht bestohlen.

   →

4. Trotz langen Wartens bekam der Reporter kein Interview.

   →

5. Trotz der genauen Beschreibung des Weges fand sie das Hotel nicht.

   →

6. Trotz der hohen Arbeitslosenzahlen unternimmt die Regierung nichts.

   →

7. Die Straße ist trotz massiver Proteste der Geschäftsleute für den Autoverkehr gesperrt worden.

   →

8. Trotz vorsichtigen Fahrens hat er einen Unfall verursacht.

   →

9. Trotz der hohen Preise essen viele Leute in diesem Restaurant.

   →

10. Ungeachtet vieler Schwierigkeiten wurde das Projekt durchgeführt.

    →

11. Allen negativen Prognosen zum Trotz hat er die Wahl gewonnen.

    →

12. Trotz strenger Ausweiskontrollen sind Unbefugte in den Sicherheitsbereich gelangt.

    →

Weitere sprachliche Mittel zum Ausdruck der Konzessivbeziehung

trotzdem, dennoch, nichtsdestoweniger

Im Rathaus ist das Rauchen verboten; *trotzdem* sieht man viele Leute, die rauchen.

Der Arzt hat Eva vor dem Konsum von Drogen gewarnt; *dennoch* nimmt sie welche.

seltener:
Man hatte Schnee vorausgesagt; *nichtsdestoweniger* ist Peter auf den Berg gestiegen.

39. *Formen Sie um! Bilden Sie Sätze mit „trotzdem" oder „dennoch"!*

1. Obwohl die Ampel Rot zeigte, fuhr das Taxi weiter.
   → *Die Ampel zeigte Rot; trotzdem fuhr das Taxi weiter.*
2. Maria hat die Prüfung nicht bestanden, obwohl sie sich gut vorbereitet hatte.
   →
3. Herr Lehmann ist trotz einer schweren Grippe zur Arbeit gegangen.
   →
4. Wir gehen auf Monikas Party, auch wenn wir nicht eingeladen sind.
   →
5. Trotz der Gefährdung des Weltklimas werden immer noch Tropenwälder vernichtet.
   →
6. Obwohl die furchtbare Wirkung von Antipersonenminen bekannt ist, werden sie in einigen Ländern noch hergestellt.
   →

40. *Formen Sie um! Bilden Sie nominale Konzessiv-Angaben mit „trotz"!*

1. Das Wetter war sehr schlecht. Trotzdem fand die Freilichtaufführung statt.
   → *Trotz des sehr schlechten Wetters fand die Freilichtaufführung statt.*
2. Auf dieser kurvenreichen Straße wird immer wieder überholt, obwohl das Überholen verboten ist.
   →
3. Obgleich Lehmanns nur eine kleine Wohnung haben, laden sie immer viele Gäste ein.
   →
4. Unser Großvater ist sehr alt; dennoch macht er noch weite Reisen.
   →
5. Obwohl Paul sich sehr bemühte, hatte er keinen Erfolg bei seinen Bewerbungen.
   →
6. Wir haben das Dach reparieren lassen; trotzdem ist der Dachboden nicht trocken geworden.
   →

* 41. *Schreiben Sie den folgenden Text neu!*
Benutzen Sie jeweils die am Rande angegebenen Wörter!

Pech gehabt – Glück gehabt!

1. Obwohl ich spät schlafen gegangen war, stand ich am Morgen des   *trotzdem*
   Reisetages sehr früh auf.

   . . . .

   . . . .

2. Ich war rechtzeitig an der Bushaltestelle, aber es kam kein Bus.   *obgleich*

   . . . .

3. Es hatte zwar einen Zeitungsbericht über einen bevorstehenden Streik   *trotz*
   der Busfahrer gegeben, aber ich hatte die Streikdrohungen nicht ernst
   genommen.

   . . . .

   . . . .

   . . . .

4. Jetzt nahm ich ein Taxi zum Bahnhof. Obwohl der Taxifahrer mit halsbre-   *dennoch*
   cherischem Tempo durch die Stadt fuhr, war mein Zug schon weg.

   . . . .

   . . . .

5. Ich musste einen anderen Zug nehmen. In den nächsten Intercity-Express   *obgleich*
   stieg ich ungeachtet des hohen Zuschlags ein.

   . . . .

6. Der Zug kam erst drei Minuten vor Abflug meines Flugzeugs am Flug-   *obwohl*
   hafen an; ich bin trotzdem noch zum Abfertigungsschalter gerannt.

   . . . .

   . . . .

7. Obwohl der Schalter gerade geschlossen wurde, konnte ich noch ein-   *trotzdem*
   checken.

   . . . .

8. Meinen Koffer durfte ich trotz seiner Größe als Kabinengepäck bei   *obwohl*
   mir behalten.

   . . . .

9. Trotz normalerweise strenger Kontrollen konnte ich unkontrolliert   *aber*
   und ohne Zeitverlust zum Flugsteig gelangen.

   . . . .

10. Dort stand mein Flugzeug noch mit geöffneten Türen! Es war zehn Minuten   *obgleich*
    nach der Abflugzeit; trotzdem konnte ich noch einsteigen.

   . . . .

   . . . .

   Und nach mir kam noch der Tourismusminister von Uranama! Auf ihn hatte das Flugzeug gewartet.

4.7 Nominale Konditional-Angaben ↔ Konditionalsätze

Bei Regen fahre ich morgen nicht mit dem Rad.
↔ *Wenn / Falls es regnet,* fahre ich morgen nicht mit dem Rad.
Regnet es*, (dann) fahre ich morgen nicht mit dem Rad.

Mit etwas Glück erreicht ihr den Zug noch.
↔ *Wenn ihr etwas Glück habt,* erreicht ihr den Zug noch.

Nur mit deiner Hilfe können wir die Arbeit schaffen.
↔ *Nur wenn du uns hilfst,* können wir die Arbeit schaffen.
Wir können die Arbeit schaffen,
  sofern du uns hilfst
  vorausgesetzt, dass du uns hilfst
  vorausgesetzt, du hilfst uns.

Im Falle einer Katastrophe hilft das Rote Kreuz.
↔ *Ereignet sich eine Katastrophe*, (so)* hilft das Rote Kreuz.

negativ:

Ohne die Unterschrift des Notars ist der Vertrag ungültig.
↔ *Wenn der Notar (den Vertrag) nicht unterschrieben hat,* ist der Vertrag ungültig.
Der Vertrag ist ungültig,
  außer wenn der Notar unterschrieben hat.
  es sei denn, dass der Notar unterschrieben hat.
  es sei denn, der Notar hat unterschrieben.

Die Vereinigung von DDR und BRD wäre *ohne die Zustimmung Russlands* nicht möglich gewesen.
↔ Die Vereinigung von DDR und BRD wäre nicht möglich gewesen, *wenn Russland (ihr) nicht zugestimmt hätte.***

* uneingeleiteter Konditionalsatz (s. Clamer/Heilmann: Übungsgrammatik für die Grundstufe Nr. 9.5)
** irrealer Konditionalsatz. (s. Nr. 7.2.1)

42. *Bilden Sie Konditionalsätze, auch in der uneingeleiteten Form!*

1. Teilen Sie uns bitte bei Umzug Ihre neue Adresse mit!
   →

2. Nur mit Zustimmung des Grundstücksnachbarn darf die Mauer gebaut werden.
   →

3. Ohne Benutzung eines Wörterbuchs können wir den Text nicht gut übersetzen.
   →

4. Im Falle einer Störung muss die Maschine sofort ausgeschaltet werden.
   →

5. Mit Ruhe und Geduld gelingt es einem manchmal, scheue Tiere zu beobachten.

   →

6. Wartungsarbeiten dürfen nur bei eingeschalteter Warnanlage durchgeführt werden.

   →

7. Bei extremer Hitze können sich Eisenbahnschienen verbiegen.

   →

8. In einem Gasthaus haben Kinder nur in Begleitung Erwachsener Zutritt.

   →

9. Bei Verwendung von Aluminium statt Stahl könnten die Autos um 40 % leichter werden.

   →

10. Ohne die finanzielle Unterstützung meiner Eltern kann ich nicht im Ausland studieren.

   →

Weitere sprachliche Mittel zum Ausdruck der Konditionalbeziehung

(1) *dann* und – für den *negativen* Fall – *sonst / ander(e)nfalls*

(Nur wenn du uns hilfst, schaffen wir die Arbeit.)
Du <u>musst</u> uns helfen; *dann* schaffen wir die Arbeit.
          …; *sonst* schaffen wir die Arbeit <u>nicht</u>.
(Wenn ich mich beeile, erreiche ich den Zug noch.)
Ich <u>muss</u> mich beeilen, *dann* erreiche ich den Zug noch.
          …; *sonst* erreiche ich den Zug <u>nicht mehr</u>.
          …; *andernfalls* <u>verpasse</u> ich den Zug.
(sonst / andernfalls s. auch Nr. 4.5)

43. *Formen Sie um! Benutzen Sie a) „dann" und b) „sonst" bzw. „andernfalls"!*

1. Man darf nur mit angelegtem Gurt losfahren.

   → a)

   → b)

2. Nur bei geöffneter Schranke darf man die Eisenbahngleise überqueren.

   → a)

   → b)

3. Ohne Reinigung der Abgase ist das Verbrennen von Müll problematisch.

   → a)

   → b)

4. Wenn man ohne Schutzhelm Motorrad fährt, riskiert man gefährliche Kopfverletzungen.

→ a)

→ b)

5. Wenn du dein Fahrrad abschließt, kann es nicht (so) leicht gestohlen werden.

→ a)

→ b)

6. Ohne Krankenversicherung muss man seine Arztrechnungen selber bezahlen.

→ a)

→ b)

7. Nur bei Grün darf man über die Straße gehen.

→ a)

→ b)

(2) *sollte-*

(Wahrscheinlich habe ich morgen keine Zeit.)
Sollte ich doch Zeit haben, rufe ich dich an.
Wenn ich doch Zeit haben **sollte,** ...

(Sind die Teller schon abgewaschen?)
Sollten die Teller noch nicht abgewaschen sein, müssen wir uns sofort an die Arbeit machen.

* **44.** *Formen Sie um! Benutzen Sie „sollte-"!*

1. Falls Otto kommt, schickt ihn bitte zum Chef!

→

2. Wenn das Wetter trocken bleibt, arbeite ich morgen im Garten.

→

3. Kennt ihr ein Wort nicht, dürft ihr das Wörterbuch benutzen.

→

4. Ohne Einverständnis des Vermieters dürfen Sie keine Satellitenantenne installieren.

→

5. Wir müssen unseren Flug nach New York stornieren, es sei denn, wir bekommen morgen die Visa.

→

6. Die Umgehungsstraße wird gebaut, sofern der Verkehrsminister das Geld dafür bewilligt.

→

(3) Feste Partizipial-Fügungen

Ein Kriminalbeamter ist, *anders ausgedrückt*, ein Polizist in Zivilkleidung.
→ Ein Kriminalbeamter ist, *wenn man es anders ausdrückt*, ein Polizist in Zivilkleidung.

Angenommen, du verlierst im Ausland den Pass – was machst du dann?
→ *Wenn man annimmt, dass du im Ausland den Pass verlierst* – was machst du dann?

Deutschland ist, *verglichen mit Russland*, ein kleines Land.
→ Deutschland ist ein kleines Land, *wenn man es mit Russland vergleicht*.

Gesetzt den Fall, ich bekomme einen Job, lasse ich mich im nächsten Semester beurlauben.
→ *Falls ich einen Job bekomme*, lasse ich mich im nächsten Semester beurlauben.

Andere Fügungen: *kurz gesagt; allgemein formuliert; genau genommen; so gesehen / betrachtet; grob geschätzt; rund gerechnet; bei Licht besehen; bezogen auf; abgesehen von / abgesehen davon, dass; vorausgesetzt, dass …*

* **45.** *Formen Sie um! Verwenden Sie feste Partizipial-Fügungen!*

1. Wenn man von den hohen Flugpreisen absieht, ist ein Urlaub in Australien nicht zu teuer.
   →

2. Im Vergleich zu Mitteleuropa ist Skandinavien sehr dünn besiedelt.
   →

3. Unter der Voraussetzung, dass die Hypothekenzinsen nicht steigen, ist unser Haus in drei Jahren schuldenfrei.
   →

4. Die Werbeaktion unserer Firma war, wenn man es kurz zusammenfasst, ein voller Erfolg.
   →

46. *Bilden Sie nominale Konditional-Angaben!*

1. Körper dehnen sich aus, wenn man sie erwärmt.
   →

2. Wenn man eine Seifenlösung schüttelt, bildet sich Schaum.
   →

3. Steigt der Kohlendioxidgehalt der Atmosphäre weiter an, so werden sich die mittleren Jahrestemperaturen erhöhen.
   →

4. Reparaturen dürfen nicht ausgeführt werden, wenn der Motor läuft.
   →

5. Beachtet man eine Verkehrsregel nicht, dann muss man mit Bestrafung rechnen.

→

6. Umbauten dürfen nur vorgenommen werden, sofern der Hausbesitzer dies erlaubt.

→

7. Touristen dürfen die Höhle nur betreten, wenn ein Fremdenführer sie begleitet.

→

8. Falls die Warnleuchte aufleuchtet, sofort die Heizung abstellen!

→

9. Die Stadt Münster kann keinen Konzertsaal bauen, es sei denn, es gibt einen Zuschuss von der Landesregierung.

→

10. Sollten die Arbeitslosenzahlen nicht deutlich zurückgehen, ist der soziale Friede in Gefahr.

→

11. Wenn das Gepäck genauer kontrolliert worden wäre, hätte man die Drogen sicher entdeckt.

→

* **47.** *Schreiben Sie den folgenden Text neu! Verwenden Sie die am Rand angegebenen sprachlichen Mittel, um die Konditionalbeziehung auszudrücken!*

1. Reines Wasser leitet den elektrischen Strom sehr schlecht. Wenn man das Wasser mit Schwefelsäure ansäuert, verbessert sich die Leitfähigkeit.   *uneingeleiteter Konditionalsatz*

. . . .

. . . .

2. Leitet man durch das angesäuerte Wasser elektrischen Strom, so entsteht an jeder der beiden Elektroden ein farbloses Gas.   *wenn*

. . . .

. . . .

3. Es kommt zu einer Verpuffung, wenn man das an der Kathode gebildete Gas, Wasserstoff, anzündet.   *uneingeleiteter Konditionalsatz*

. . . .

. . . .

4. An der Anode wird Sauerstoff gebildet. Hält man einen glimmenden Holzspan in dieses Gas, so entzündet er sich.   *wenn*

. . . .

. . . .

5. Bei der Verbrennung von Holz ist die Zufuhr von Sauerstoff nötig.   *wenn*

. . . .

6. Ohne Sauerstoffzufuhr erlischt die Flamme.   *müssen; sonst*

. . . .

7. Stellt man aus den bei der Elektrolyse entstandenen Gasen ein   *wenn*
   Gemisch her und entzündet es, so gibt es eine Explosion.

. . . .

. . . .

8. Derselbe Vorgang läuft langsamer ab, wenn man Wasserstoff in   *uneingeleiteter*
   Luftsauerstoff verbrennen lässt. Dabei wird Wasser gebildet.   *Konditionalsatz*

. . . .

. . . .

9. Wird aus Wasserstoff und Sauerstoff Wasser gebildet, dann wird   *bei*
   Energie frei.

. . . .

. . . .

10. Wenn Wasser elektrolytisch zerlegt wird, muss Energie zugeführt   *bei*
    werden.

. . . .

. . . .

11. Will man wirklich eines Tages Autos mit Wasserstoff betreiben,   *falls*
    muss Sonnenenergie für die Elektrolyse genutzt werden.

. . . .

. . . .

. . . .

12. Sollte dieser Plan realisiert werden, würde die CO_2-Belastung   *bei*
    der Atmosphäre stark verringert.

. . . .

. . . .

4.8 Nominale Proportional-Angaben ↔ Proportionalsätze

(1) *Je nach Größe und Komfort* sind ↔ *Je größer und komfortabler* Wohnungen
    Wohnungen unterschiedlich teuer.   sind, **_desto_** / **_umso teurer_** sind sie.
                                            Wohnungen sind **umso** *billiger, je kleiner*
                                            und einfacher sie sind.

    Fachleute werden **entsprechend ih-** ↔ *Je qualifizierter* Fachleute sind, **_desto_** /
    rer *Qualifikation* bezahlt.   **_umso besser_** werden sie bezahlt.

(2) *Je größer und komfortabler* eine Wohnung ist, *eine **desto** höhere Miete* muss man zahlen.

    Je qualifizierter jemand ist, *mit einem **umso** höheren Einkommen* kann er rechnen.

- Im Proportionalsatz (= Nebensatz) steht *je* direkt vor dem Komparativ,
  im Hauptsatz steht **desto** oder **umso** direkt vor dem Komparativ.
- Normalerweise steht der Proportionalsatz vor dem Hauptsatz;
  im Hauptsatz steht dann die Personalform des Prädikats direkt hinter dem
  Proportionalglied.
- Wenn der Hauptsatz vor dem Proportionalsatz steht, benutzt man im Hauptsatz
  immer **umso**.

48. *Bilden Sie Proportionalsätze!*

1. Die Autos fahren schnell; der Benzinverbrauch ist hoch.
   → *Je schneller die Autos fahren, desto höher ist der Benzinverbrauch.*
2. Die Berge sind hoch; die Temperaturen auf den Gipfeln sind niedrig.
   →
3. Die Lebensverhältnisse sind schlecht; die Lebenserwartung ist niedrig.
   →
4. Es gibt viele Hotels; man findet leicht ein Zimmer.
   →
5. Es kommen wenige Touristen; die Verdienstmöglichkeiten sind schlecht.
   →
6. Wenn ein Haus gut isoliert ist, ist der Energieverbrauch gering.
   →
7. Wenn die Sonne tief steht, sind die Schatten lang.
   →
8. Die Luft wird dünn, wenn man hoch steigt.
   →
9. Man muss viel trinken, wenn es heiß und trocken ist.
   →
10. Wenn man viele persönliche Probleme hat, ist der Studienerfolg gering.
    →

49. *Bilden Sie Proportionalsätze!*

1. Es wird kalt; man muss warme Kleidung anziehen.
   →

2. Wenn eine Ausstellung interessant ist, wird sie von vielen Leuten besucht.
   →

3. Man baut viele Atomkraftwerke; man geht ein hohes Risiko ein.
   →

4. Wenn die Regenzeit lange dauert, kann man mit einer guten Ernte rechnen.
   →

5. Wenn ein Mensch alt wird, beschränkt er sich auf wenige Tätigkeiten.
   →

6. Wenn ein Quiz spannend ist, erweckt es ein großes Interesse bei den Zuschauern.
   →

* **50.** *Bilden Sie Proportionalsätze in verschiedenen Varianten!*

1. Energieverbrauch – Umweltprobleme
   → *Je höher der Energieverbrauch ist, umso mehr Umweltprobleme treten auf.*
   → *Je mehr Energie verbraucht wird, mit desto mehr Umweltproblemen muss man rechnen.*
   → *Es gibt umso mehr Umweltprobleme, je mehr Energie verbraucht wird.*

2. Verwendung von Energiesparlampen – Stromverbrauch
   →

   →

3. Arbeit – Ermüdung
   →

   →

4. medizinische Versorgung – Kindersterblichkeit
   →

   →

5. Lebensverhältnisse – Lebenserwartung
   →

   →

6. Geschwindigkeit – Luftwiderstand
   →

   →

7. Kreditzinsen – Wohnungsbau
   →

   →

Weitere sprachliche Mittel zum Ausdruck einer proportionalen Beziehung

(1) *abhängen von / sich richten nach / sich orientieren an*   (Abhängigkeit)

Die Höhe der Miete *hängt vom* Komfort der Wohnung *ab*.
→ Je komfortabler eine Wohnung ist, desto höher ist die Miete.

Die Kraftfahrzeugsteuer *richtet sich* in Deutschland *nach* der Größe des Motors.
→ Die Kraftfahrzeugsteuer ist in Deutschland umso höher, je größer der Motor ist.

(2) *steigen / zunehmen / wachsen / sich erhöhen – sinken / abnehmen / zurückgehen /*
    sich verringern; sich verbessern – sich verschlechtern   (Veränderung)

Wenn die Arbeitsbelastung *zunimmt, erhöht sich* die Fehlerhäufigkeit.
→ Je höher die Arbeitsbelastung ist, desto häufiger treten Fehler auf.

Mit *zunehmender* Umweltbelastung *verringert sich* die Lebensqualität.
→ Die Lebensqualität wird umso geringer, je mehr die Umweltbelastung zunimmt.

* 51. *Drücken Sie die Proportionalbeziehung mit den vorgegebenen Verben aus!*

1. Ein Foto hat eine umso größere Tiefenschärfe, je kleiner die gewählte Blendenöffnung ist.   (abhängen von)

   →

2. Viele Bürger fordern, die Kfz-Steuer solle umso niedriger sein, je geringer der Kraftstoffverbrauch des Fahrzeugs ist.   (sich richten nach)

   →

3. Je größer und reiner ein Brillant ist, desto teurer ist er.   (sich orientieren an)

   →

4. Das Arbeitslosengeld ist umso niedriger, je geringer der letzte Arbeitslohn war.
                                                                      (sich richten nach)

   →

5. Schuhe sind umso haltbarer, je besser das Leder ist.   (abhängen von)

   →

6. Das Risiko eines Gendefekts bei einem Baby ist umso größer, je älter seine Eltern sind.   (steigen)

   →

7. Je geringer das Steueraufkommen ist, desto weniger Mittel stehen für Investitionen zur Verfügung.   (zurückgehen)

   →

4.9 Nominale Modal-Angaben   ↔   Modalsätze

Durch zu scharfes Bremsen verursach- ↔   *Dadurch, dass* er zu scharf bremste, verur-
te er einen Auffahrunfall.   sachte er einen Auffahrunfall.

Daten können *durch vorzeitiges Aus-* ↔   Daten können *dadurch* verloren gehen,
schalten des Computers verloren gehen.   *dass* man den Computer vorzeitig ausschaltet.

Japaner begrüßen sich *durch Verbeu-* ↔   Japaner begrüßen sich, *indem* sie sich ver-
gen.   beugen.

- Die Subjunktion *dadurch, dass* hat eine kausale Nebenbedeutung, und zwar
  meistens in Verbindung mit Vergangenheits-Tempora.
- Die Subjunktion *indem* hat eine instrumentale Nebenbedeutung, und zwar meistens in Verbindung mit Gegenwarts-Tempora.
- *indem* ist nur möglich, wenn in Haupt- und Nebensatz der „Täter" identisch ist.

52. *Formen Sie die nominalen Modal-Angaben in Modalsätze um!*

1. Ich habe durch den Wechsel der Universität ein Semester gespart.
   →

2. Durch seinen Flug über den Atlantik 1927 wurde Charles Lindbergh berühmt.
   →

3. Autofahrer können das Unfallrisiko durch langsameres Fahren verringern.
   →

4. Tag und Nacht kommen durch die Drehung der Erde um sich selbst zustande.
   →

5. Der Kaufhauskonzern will den Umsatz durch Erweiterung der Verkaufsfläche
   steigern.
   →

6. Durch den Einbau von Alarmanlagen ging die Zahl der Banküberfälle deutlich
   zurück.
   →

7. Durch Ihre Unterschrift haben Sie unsere Geschäftsbedingungen anerkannt.
   →

8. Der Konzern will die Mittel für die nötigen Investitionen durch die Ausgabe neuer Aktien beschaffen.
   →

9. Die Leitfähigkeit von Wasser erhöht sich durch die Zugabe von Säure.
   →

10. Mit (!) friedlichen Demonstrationen für größere Freiheit haben die Menschen in
    Ostdeutschland das Ende der Teilung Deutschlands bewirkt.
    →

4.10 Nominale Konsekutiv-Angaben ↔ Konsekutivsätze

Nominale Konsekutiv-Angaben sind selten; es sind fast ausschließlich formelhafte Äußerungen über Emotionen: Freude, Überraschung, Enttäuschung etc.

Zur Enttäuschung seiner Eltern hat Emil die Prüfung nicht bestanden. ↔ Emil hat die Prüfung nicht bestanden, *sodass seine Eltern enttäuscht sind.*

Zu Inas Überraschung brachte ihr Mann Blumen mit. ↔ Inas Mann brachte Blumen mit, *sodass sie überrascht war.*

(keine nominale Entsprechung) ↔ Susanne hat jetzt einen Computer, *sodass sie die Schreibmaschine nicht mehr braucht.*

Weitere sprachliche Mittel zum Ausdruck einer Konsekutivbeziehung

(1) *so ..., dass ...; solch- ..., dass ...; dermaßen / derart ..., dass ...*

Es hat *so / dermaßen* stark geschneit, *dass* viele Straßen gesperrt werden müssen.
In den Bergen sind *solche Massen von Schnee* gefallen, *dass* Lawinengefahr besteht.
Die Situation auf den Straßen ist *so* schlecht, *dass* man vom Autofahren abraten muss.

(2) *infolgedessen; folglich; also*

Tankwagen gelangen nicht mehr zu den Tankstellen; *infolgedessen* wird das Benzin knapp.
Die Eisenbahnschienen sind verschneit, die Oberleitungen vereist; *folglich* fahren auch keine Züge.
Der Verkehr ist völlig zusammengebrochen; *also* bleibt man am besten zu Hause.

(3) „Negative" Konsekutivsätze: *zu ..., um ... zu + Inf. / zu ..., als dass + Konj. II* *

Otto sieht *zu* schlecht, *um Auto fahren zu* **können**. ↔ Otto sieht sehr schlecht, *sodass er <u>nicht</u> Auto fahren kann.*
Otto sieht *zu* schlecht, *als dass er Auto fahren* **könnte**.

Diese Sache ist *zu* wichtig, *als dass man sie vergessen* **dürfte**. ↔ Diese Sache ist außerordentlich wichtig, *sodass man sie <u>keinesfalls</u> vergessen darf.*
Diese Sache ist *zu* wichtig, *um vergessen zu* werden.

Das Wort „Tenne" ist *zu* ungebräuchlich, *als dass ein Ausländer es kennen* **müsste**. ↔ Das Wort „Tenne" ist *so* ungebräuchlich, *dass ein Ausländer es <u>nicht</u> kennen muss.*

*Zur Verwendung des Konjunktivs II s. Nr. 7, Seite 95 ff.

53. *Formen Sie um! Bilden Sie Konsekutivsätze!*

1. Im Tal lag dicker Nebel; infolgedessen konnte man nur etwa zehn Meter weit sehen.
   →

2. Der Zug hatte Verspätung; infolgedessen bekamen wir keinen Anschluss mehr nach Jena.
   →

3. Die Kleine hatte drei Stück Torte gegessen; folglich wurde ihr schlecht.
   →

4. Infolge familiärer Probleme musste sie ihr Studium unterbrechen.
   →

5. Morgen fallen alle Vorlesungen aus; da könnt ihr ausschlafen.
   →

6. Wir bekamen drei verschiedene Wegbeschreibungen – mit dem Ergebnis totaler Verwirrung!
   →

7. Herr Svenson hat ein lückenloses Alibi; also kommt er als Täter nicht in Frage.
   →

* 54. *Formen Sie um! Bilden Sie „negative" Konsekutivsätze mit „zu …, um … zu" / „zu …, als dass" !*

1. Wir haben uns so sehr an das Auto gewöhnt, dass wir nicht mehr darauf verzichten wollen.
   →

2. Das Schachproblem ist so schwierig, dass ich es nicht lösen kann.
   →

3. Die Sätze sind so lang, dass man sie nicht behalten kann.
   →

* 55. *Formen Sie um! Bilden Sie Konsekutivsätze mit „so …, dass"!*

1. Das Eis ist zu dünn, um darauf Schlittschuh laufen zu können.
   →

2. Dieser Politiker hat zu oft gelogen, als dass ich ihm noch glauben würde.
   →

3. Du bist noch nicht zu alt, um eine neue Sprache lernen zu können.
   →

4. Radikale politische Gruppen sind zu gefährlich, als dass man sie ignorieren dürfte.
   →

5. Die Gewinnung von Gold aus dem Meerwasser ist zu teuer, um praktisch genutzt werden zu können.
   →

4.11 Nominale Adversativ-Angaben   ↔ Adversativsätze

Im Vergleich zum trockenen Sommer 1999 ↔ hatte es im Sommer 1998 viel geregnet.	*Während* der Sommer 1999 trocken war, hatte es im Sommer 1998 viel geregnet.
In Großbritannien, Irland und Malta ↔ wird *im Gegensatz zum übrigen Europa* links gefahren.	In Großbritannien, Irland und Malta wird links gefahren, *während* man im übrigen Europa rechts fährt.
Im Unterschied zu der schwierigen französischen Orthographie ist die spanische leicht. ↔	*Während* die französische Orthographie schwierig ist, ist die spanische leicht.

* 56. *Formen Sie die Sätze um! Bilden Sie Adversativsätze!*

1. Im Unterschied zum französischsprachigen Québec spricht man im übrigen Kanada Englisch.

    →

2. Im Gegensatz zu früher gibt es heute fast nur noch Farbfernseher.

    →

3. Im Vergleich zum Physikunterricht fand ich den Chemieunterricht immer interessant.

    →

4. Im Gegensatz zu seinen Geschwistern ist Peter Linkshänder.

    →

5. Die Bundesregierung hält neue Autobahnen für nötig; die Umweltschutzverbände halten sie für überflüssig.

    →

Weitere sprachliche Mittel zum Ausdruck eines Gegensatzes

(1) *aber, sondern, doch, jedoch, dagegen, demgegenüber, ...*

Hildegard ist Vegetarierin, *aber / doch* ihr Mann isst gern Fleisch.

Eine Regierungspartei hat viele Möglichkeiten, ihr Programm öffentlich darzustellen; eine Oppositionspartei hat *dagegen / demgegenüber* nur wenige.

57. *Bilden Sie a) nominale Adversativ-Angaben und b) Adversativsätze!*

1. In Südeuropa sind die Winter mild; in Osteuropa sind sie jedoch kalt.

    a) →

    b) →

2. Auf der Erde gibt es Leben; auf anderen Planeten scheint es kein(e)s zu geben.

    a) →

    b) →

3. Die Schweiz ist mehrsprachig: in Basel spricht man Deutsch, in Genf Französisch und in Lugano Italienisch.

    b) →

(2) „Negative" Adversativsätze: *anstatt ... zu + Inf. / anstatt dass*

Anstatt in den Ferien zu verreisen, wer- ↔ *Wir werden in den Ferien* <u>nicht</u> *verreisen, son-*
den wir unsere Wohnung renovieren. *dern unsere Wohnung renovieren.*

Anstatt dass der Güterverkehr auf die ↔ *Der Güterverkehr wird* <u>nicht</u> *auf die Schiene*
Schiene verlagert wird, baut man neue *verlagert; stattdessen* baut man neue Stra-
Straßen. ßen.

58. *Bilden Sie adversative Infinitivsätze mit „anstatt ... zu"!*

1. Peter sitzt vor dem Fernseher. Er müsste eigentlich arbeiten.
   → *Peter sitzt vor dem Fernseher, anstatt zu arbeiten.*
2. Das Taxi ist weitergefahren. Es hätte eigentlich sofort anhalten müssen.
   →
3. Warum seid ihr nicht mit der U-Bahn gefahren? Warum habt ihr ein Taxi genommen?
   →
4. Ali müsste eigentlich zum Arzt gehen. Stattdessen nimmt er seit Tagen schmerz-
   stillende Mittel.
   →
5. Du solltest die Hilfe unentgeltlich leisten. Du solltest dich nicht bezahlen lassen.
   →
6. Ich hätte mir eigentlich einen neuen Computer kaufen müssen. Ich habe das Geld
   (aber) für meine Ferienreise ausgegeben.
   →

4.12 Nominale Komitativ-Angaben   ↔   Komitativsätze

Unter lautem Protest verließ die Opposi-   ↔   Die Opposition verließ den Sitzungs-
tion den Sitzungssaal.   saal, *wobei sie laut protestierte.*

Erhitztes Kupferoxid reagiert mit Was-   ↔   Erhitztes Kupferoxid reagiert mit
serstoff *unter Bildung von Wasser und ele-*   Wasserstoff, *wobei sich Wasser und ele-*
mentarem Kupfer. ($CuO + H_2 = Cu + H_2O$)   *mentares Kupfer bilden.*

- Komitativ-Angaben nennen die Begleitumstände einer Handlung bzw. eines Vor-
  gangs.
- Komitativsätze stehen immer hinter dem Hauptsatz.
- Sie haben die Form von weiterführenden Nebensätzen. (s. Nr. 5)

* 59. *Bilden Sie Komitativsätze!*

1. Unter dem Applaus der Zuschauer führte der Zauberer seine Kunststücke vor.
   →
2. Sondermüll muss unter Beachtung strenger Sicherheitsvorschriften auf speziellen
   Deponien gelagert werden. →

3. Die Gerichtsverhandlung hat gestern unter Ausschluss der Öffentlichkeit stattgefunden.
   →

4. Im Verlauf einer HIV-Erkrankung zerfallen T-Zellen unter Freisetzung neuer Viren.
   →

5. Bei schwachen Basen wie Ammoniak reagiert nur ein sehr kleiner Teil mit Wasser unter Bildung von Ionen.
   →

6. Die Synthese körpereigener Proteine findet in den Zellen unter Energieverbrauch statt.
   →

7. Unter Verzicht auf weitere Diskussionen wurde das Gesetz in 3. Lesung verabschiedet.
   →

8. Die Asylbewerber protestierten unter Berufung auf das Grundgesetz gegen ihre geplante Abschiebung.
   →

Weitere sprachliche Mittel zur Darstellung einer Komitativbeziehung

(1) Partizipialkonstruktionen

Die Opposition verließ *protestierend* den Sitzungssaal.

Nervös in seinen Unterlagen **blätternd,** wartete der Angeklagte auf den Beginn der Verhandlung.

Die Hände tief in den Taschen **vergraben,** wanderte Michael durch den verschneiten Wald.
(Partizipialkonstruktionen s. Nr. 16)

(2) „Negative" Komitativbeziehung: *ohne ... zu + Inf. / ohne dass*

Ich habe den Mietvertrag unterschrieben, *ohne lange zu* überlegen.	↔	Ich habe den Mietvertrag unterschrieben; ich habe <u>nicht</u> lange überlegt. (1 Subjekt)
Zwei Personen verließen den Raum, *ohne dass es bemerkt wurde.*	↔	Zwei Personen verließen den Raum; es wurde <u>nicht</u> bemerkt. (2 Subjekte)

60. Formen Sie um! Bilden Sie Nebensätze mit „ohne ... zu" bzw. „ohne dass"!

1. Der Arzt hat mich am Zeh operiert; ich musste dafür nicht ins Krankenhaus.
   →

2. Otto hat mein Fahrrad benutzt; gefragt hat er mich nicht!
   →

3. Jan hat ein Päckchen für Mario mitgenommen; er wusste nicht, dass Heroin drin war.
   →

4. Du musst lernen zu verlieren; du darfst dich nicht ärgern!
   →

5. Plötzlich war die Straße zu Ende; kein Schild hatte darauf hingewiesen. →

4.13 Nominale Referenz-Angaben ↔ Referenzsätze

Nach Meinung / Ansicht der Steuer- ↔ *Wie die Steuerzahler meinen*, verschwendet die
zahler verschwendet die Regierung   Regierung jährlich viele Milliarden.
jährlich viele Milliarden.

Das Gebäude wurde **entsprechend** ↔ Das Gebäude wurde (*so*) restauriert, **wie** *es den*
den ursprünglichen Plänen restauriert.   *ursprünglichen Plänen entsprach.*

Laut *ärztlichem Attest* leidet Frau Li ↔ **Wie** *das ärztliche Attest besagt,*
an Hepatitis A.   **Wie** *aus dem ärztlichen Attest hervorgeht,*
                                               Wie *aus dem ärztlichen Attest ersichtlich ist,*
                                               leidet Frau Li an Hepatitis A.

Die Studenten lösten die Aufgabe ↔ Die Studenten lösten die Aufgabe, **wie** *es (ih-*
gemäß *den Empfehlungen ihres Pro-*   *nen) ihr Professor empfohlen hatte.*
fessors.

Einer Pressemeldung **zufolge** will der ↔ **Wie** *es in einer Pressemeldung heißt / hieß,* will
Innenminister zurücktreten.   der Innenminister zurücktreten.

61. *Formen Sie die Sätze um! Bilden Sie Referenzsätze!*

1. Männer und Frauen sind in Deutschland laut Artikel 3 des Grundgesetzes gleich-
   berechtigt.
   →

2. Den Zahlen des Statistischen Bundesamtes zufolge beträgt in Deutschland die mitt-
   lere Lebenserwartung bei Frauen 79 Jahre.
   →

3. Nach Mitteilung des Außenministeriums befinden sich unter den Opfern des Flug-
   zeugabsturzes keine Deutschen.
   →

4. Gemäß § 1 StVO hat sich jeder Verkehrsteilnehmer rücksichtsvoll zu verhalten.
   →

* 62. *Bilden Sie nominale Referenz-Angaben!*

1. Wie eine Umfrage ergeben hat, gehört für 86% der Deutschen ein Tannenbaum
   zum Weihnachtsfest.
   →

2. Wie mehrere Zeugen in der Gerichtsverhandlung aussagten, hat der Angeklagte
   kein Messer in der Hand gehabt.
   →

3. Wie aus dem Wetterbericht hervorgeht, werden in der kommenden Nacht die Temperaturen unter den Gefrierpunkt sinken. →

4. Der Staatspräsident soll an Krebs erkrankt sein, wie unbestätigte Berichte besagen.
→

5. Die Inflationsrate betrug im Juli 1,2%; so eine Mitteilung des Statistischen Bundesamtes.
→

63. *Formen Sie den Text um! Verwenden Sie statt nominaler Angaben die entsprechenden Angabesätze!*

Ausländische Studienbewerber, die zur Aufnahme eines Studiums nach Deutschland kommen wollen, haben vor ihrer Einreise in die Bundesrepublik und vor dem Beginn ihres Studiums mehrere Dinge zu beachten. Nur bei Vorliegen einer Studienberechtigung in ihrem Heimatland können sie mit einer Zulassung an einer deut-
5 schen Hochschule rechnen. Sie müssen als ersten Schritt einen Zulassungsantrag an die gewünschte Hochschule richten. Der Antrag erfolgt auf einem besonderen Formblatt und muss vor Ablauf der Zulassungsfristen am 15. Januar bzw. 15. Juli im Rektorat eingehen. Bei fehlenden oder unvollständigen Angaben wird der Antrag unbearbeitet zurückgeschickt. Sind die Angaben vollständig, wird der Bewer-
10 ber nach der Bearbeitung des Antrags durch die Zulassungsbehörde über die Zulassung bzw. Ablehnung informiert. Studienbewerber, die aufgrund des unterschiedlichen Ausbildungssystems im Herkunftsland ein Vorstudium zu absolvieren haben, müssen zunächst ein Studienkolleg besuchen. Während des Besuchs des Studienkollegs haben die Studienbewerber den Status eines Studenten.

Ausländische Studienbewerber, die nach Deutschland kommen wollen, um …

64. *Formen Sie die Angabesätze in nominale Angaben um!*

1. Nachdem Kolumbus Amerika „entdeckt" hatte, ging die Bedeutung Venedigs zurück.
   → *Nach der „Entdeckung" Amerikas durch Kolumbus ging die Bedeutung Venedigs zurück.*
2. Seitdem eine Klimaanlage eingebaut worden ist, sind die Temperaturen auch im Hochsommer erträglich.
   →
3. Weil es unterschiedliche Zulassungsbedingungen gibt, studieren einige meiner Freunde an der Fachhochschule, andere an der Universität.
   →
4. Sobald die Eingangstore geöffnet wurden, strömten die Fußball-Fans in das Stadion.
   →
5. Obgleich seine Lage aussichtslos war, kämpfte Paul um die Revision seines Prozesses.
   →
6. Der Asylbewerber musste das Land verlassen, nachdem sein Antrag endgültig abgelehnt worden war.
   →
7. Dadurch, dass man auf aufwendige Verpackung verzichtet, kann die Müllmenge reduziert werden. →

8. Als ihr erstes Kind geboren wurde, waren sie noch sehr jung.
   →

9. Wir waren nach Paris gefahren, um an der Eröffnung des neuen Picasso-Museums teilzunehmen.
   →

10. Die Straße kann nicht befahren werden, bis die Bauarbeiten beendet sind.
    →

11. Die Straße bleibt vorläufig gesperrt, damit weitere Unfälle vermieden werden.
    →

12. Dadurch, dass bei der Produktion Roboter eingesetzt werden, konnten die Personalkosten gesenkt werden.
    →

13. Während die Lastwagenfahrer streikten, ruhte der gesamte Fernverkehr.
    →

14. Weil Schwierigkeiten zu erwarten sind, sollten Sie sehr früh am Flughafen sein!
    →

15. Ein Fahrgast versuchte das Unglück zu verhindern, indem er die Notbremse zog.
    →

* 65. *Wandeln Sie um!*

1. *Wenn man eine Fertigpackung kauft,* weiß man nie, ob das tatsächliche Gewicht dem angegebenen Füllgewicht entspricht.
   →

2. *Trotz Überprüfung durch verschiedene Ämter* versuchen einige Hersteller zu mogeln.
   →

3. Über 15 % der offenen Verpackungen mit Obst, Gemüse und Kartoffeln wurden *wegen deutlicher Unterschreitung des angegebenen Gewichts* beanstandet.
   →

4. Bei diesen Verpackungen ist die Kontrolle für den Verbraucher *durch Nachwiegen der Ware im Laden* leicht möglich.
   →

5. *Um das genaue Gewicht einer Ware zu ermitteln,* muss man außerdem *nach dem Wiegen* noch das Gewicht der Verpackung ermitteln.
   →

6. Verbraucherverbände protestieren dagegen, dass *zur Einsparung von Kosten* die Zahl der Kontrollen herabgesetzt wurde.
   →

7. *Nach Ansicht vieler Verbraucher* würden die Hersteller *bei höheren Strafen für Verstöße* sorgfältiger arbeiten.
   →

5 Weiterführende Nebensätze

(1) Elvira singt laut. **Das** (= ihr lautes Singen) stört manchmal die anderen Hausbewohner.

→ Elvira singt laut, *was* manchmal die anderen Hausbewohner stört.

Otto hilft den Nachbarn. **Das** (= seine Hilfe für die Nachbarn) finde ich gut.

→ Otto hilft den Nachbarn, *was* ich gut finde.

(2) Man muss die Miete im Voraus zahlen. **Damit** (= mit der Vorauszahlung der Miete) hatte ich nicht gerechnet.

→ Man muss die Miete im Voraus zahlen, *womit* ich nicht gerechnet hatte.

Elvira will Otto heiraten. Alle wundern sich **darüber** (= über diese Heiratsabsicht).

→ Elvira will Otto heiraten, *worüber* sich alle wundern.

(3) Er erzählte mir seine Lebensgeschichte. **Dabei** (= beim Erzählen seiner Lebensgeschichte) sah er mich ernst an.

→ Er erzählte mir seine Lebensgeschichte, *wobei* er mich ernst ansah.

Wir haben mit ihm zu Mittag gegessen. **Danach** (= nach dem gemeinsamen Mittagessen) verabschiedete er sich von uns.

→ Wir haben mit ihm zu Mittag gegessen, *wonach* er sich von uns verabschiedete.

Herr Schleyer ist Diabetiker: **Deswegen** hat er auf den Kuchen verzichtet.

→ Herr Schleyer ist Diabetiker, *weswegen* er auf den Kuchen verzichtet hat.

- Weiterführende Nebensätze sind eine besondere Gruppe von Nebensätzen. Sie beziehen sich nicht auf eine einzelne Information, sondern auf den gesamten Inhalt des Hauptsatzes, der immer vor dem Nebensatz steht.

- Die inhaltliche Beziehung zwischen Nebensatz und Hauptsatz ist sehr locker. Bei der entsprechenden Konstruktion mit zwei Hauptsätzen könnte man diese mit *und* bzw. *aber* verbinden:
  Elvira singt laut, <u>und</u> das stört manchmal die anderen Hausbewohner.

- Im weiterführenden Nebensatz erhält das Wort, das die Beziehung zum Hauptsatz herstellt, die *w*-Form: **das** → *was*, **da**mit → *womit*, **des**halb → *weshalb* usw.

- Innerhalb des Nebensatzes sind diese Wörter entweder Ergänzungen (Nominativ-Erg., Akkusativ-Erg. (1) bzw. Präpositional.-Erg. (2)) oder Angaben (Temporal-Ang., Kausal-Ang., Modal-Ang. usw. (3)).

66. *Setzen Sie passende w-Pronomen ein!*

1. Peter hat mir beim Aufräumen geholfen, _____ ich ihm dankbar bin.

2. Im Mai fliegt Sally zu ihren Eltern nach Texas, _____ sie sich schon lange freut.

3. Die Universität beantwortet meine Briefe nicht, _____ ich überhaupt nicht verstehe.

4. Die Miete ist um 20% erhöht worden, _____ ich mich sehr ärgere.

5. Als Sekretärin muss man fehlerfreie Briefe schreiben können, _____ Ruth nur selten gelingt.

6. Fritz wollte die Erbschaft nicht mit seiner Schwester teilen, _____ diese natürlich nicht einverstanden war.

7. Die Gefangenen waren drei Wochen im Hungerstreik, _____ sie noch sehr geschwächt sind.

8. Otto spendet regelmäßig Blut, _____ er sich immer eine Stunde ausruhen muss.

9. Abends korrigiert Frau Knöf die Hefte ihrer Schüler, _____ sie meistens Jazzmusik hört.

10. Alexander sagt, dass er sich intensiv auf seine Mathematikklausur vorbereitet, _____ er das Auswendiglernen von Formeln versteht.

11. In der Werkstatt hat man uns fest versprochen, der Wagen sei morgen fertig, _____ man sich aber nicht verlassen kann.

12. Ständig kritisiert Otto die Arbeit der Kollegen, _____ er sich selber schadet.

13. Ihre freundlichen Worte haben mich getröstet, _____ ich Ihnen herzlich danken möchte.

14. Gewissenlose Händler haben mit Mineralöl verunreinigtes Olivenöl verkauft, _____ sie hoffentlich streng bestraft werden.

15. Gestern wurde in der Konzerthalle BEETHOVENS 9. Sinfonie aufgeführt, _____ ich leider erst heute Morgen erfahren habe.

6 Attribute

6.1 Übersicht

(1) Vorangestellte Attribute („Linksattribute")

Adjektivattribut   die *vorige* Woche

Partizipialattribut
   Partizip I   die *kommende* Woche
   Partizip II   die *vergangene* Woche
   modales Partizip   die *zu lösende* Aufgabe

Genitivattribut (nur bei Namen!) *Peters* Eltern; *Evas* Freund

(2) Nachgestellte Attribute („Rechtsattribute")

Genitivattribut   das Haus *meines Vaters;* die Hauptstadt *Österreichs*

Präpositionalattribut   das Haus *an der Ecke*

Adverbialattribut   das Haus *dort drüben*

Apposition   auf dem Eiffelturm, *dem Wahrzeichen von Paris,* …

Nebensätze
   Relativsatz   Die Frage, *die du mir gestellt hast,* …
   Infinitivsatz   Die Chance, *einen Arbeitsplatz zu finden,* …
   dass-Satz   Die Tatsache, *dass die Preise steigen,* …
   indirekter Fragesatz   Die Frage, *ob so etwas sinnvoll ist,* …
                           Die Überlegung, *wie man den Park neu gestalten könnte,* …

67. *Bestimmen Sie die Attribute!*

1. Ich suche ein <u>ruhiges</u> Zimmer. *(Adjektivattribut)*
2. Gestern kam der Brief, auf den ich so lange gewartet hatte.
3. Durch die Bewässerung der Felder erhöhte sich der Ernteertrag.
4. Er ist in Bogotá, der Hauptstadt Kolumbiens, geboren.
5. Für unverlangt eingesandte Manuskripte wird keine Gewähr übernommen.
6. Ich habe GOETHES Romane noch nicht gelesen.
7. Dieses Buch hier gehört mir nicht.
8. Die Unsicherheit, wie sich die wirtschaftliche Lage entwickeln wird, ist groß.
9. Der Bedarf an Energie hat weiter zugenommen.
10. Euro-Scheine gelten als schwer zu fälschende Banknoten.
11. Die Sorge, dass ihr etwas zugestoßen sein könnte, hat mich nicht schlafen lassen.
12. Wir kommen mit dem uns zur Verfügung stehenden Geld nicht aus.
13. Unsere Bemühungen, eine Wohnung zu finden, sind bis jetzt erfolglos geblieben.

6.2 Linksattribute → Relativsätze

An einem <u>während der Semesterferien in Greifswald veranstalteten</u> Kongress nahmen über 400 aus aller Welt angereiste Herzchirurgen teil. Zu Beginn des Kongresses hielt Prof. Korda in der voll besetzten Aula der Universität einen für alle
Teilnehmer sehr informativen Vortrag. Er berichtete über die auf dem Gebiet der
5   Herztransplantation weiterhin bestehenden Schwierigkeiten.

In der sich an den Vortrag anschließenden Diskussion konnte der Referent auf
einige an ihn gestellte Fragen nur sehr allgemein antworten. Er erklärte sich aber
bereit, diese ohne gründliche Recherchen nicht zu beantwortenden Fragen in einer Stellungnahme am Ende des Kongresses zu behandeln.

68. *a) Unterstreichen Sie alle Linksattribute und benennen Sie sie!*
    b) Versuchen Sie, diese Attribute in Relativsätze umzuformen!

   An einem Kongress, der …

Linksattribute → Relativsätze

(1) Der Chirurg hielt einen *für alle Teilnehmer sehr* **informativen** Vortrag.
   → Der Chirurg hielt einen Vortrag, *der für alle Teilnehmer sehr* **informativ war**.

(2) a) Er berichtete über die *auf dem Gebiet der Herztransplantation weiterhin* **bestehen-
      den** Schwierigkeiten.
      → Er berichtete über die Schwierigkeiten, *die auf dem Gebiet der Herztransplan-
      tation weiterhin* **bestehen**.

   b) In der *sich daran* **anschließenden** Diskussion wurden viele Fragen gestellt.
      → In der Diskussion, *die sich daran* **anschloss**, wurden viele Fragen gestellt.

(3) a) 1. Der Redner beantwortete nicht alle *an ihn* **gestellten** Fragen sofort.
          → Der Redner beantwortete nicht alle Fragen, *die an ihn* **gestellt wurden**,
          sofort.
       2. Er hielt seinen Vortrag in der *voll* **besetzten** Aula.
          → Er hielt seinen Vortrag in der Aula, *die voll* **besetzt war**.

   b) Es waren über 400 *aus aller Welt* **angereiste** Herzchirurgen anwesend.
      → Es waren über 400 Herzchirurgen anwesend, *die aus aller Welt* **angereist
      waren**.

(4) Auf *nicht einfach* **zu beantwortende** Fragen wollte er später schriftlich eingehen.
   → Auf Fragen, *die nicht einfach* **zu beantworten waren**, wollte er später schriftlich
   eingehen.

im Linksattribut: →   **im Relativsatz:**

(1) Adjektiv   →   *sein* + Adjektiv

(2) Partizip I   →   Verb im Aktiv < a) Präsens
                                            b) Gleichzeitigkeit

(3) Partizip II < a) Verb im Passiv < 1. *werden*-Passiv } (Verben mit
                                           2. *sein*-Passiv   } Akk.-Erg.!)

                    b) Verb im Aktiv: Vorzeitigkeit (Verben mit *sein*-Perfekt!)

(4) modales Partizip → *sein* + *zu* + Infinitiv

– Die übrigen Teile des Attributs werden nicht verändert!

6.2.1 *werden*-Passiv oder *sein*-Passiv?

(1) Warum öffnest du *die eben von mir geschlossene* Tür wieder?
     → Warum öffnest du die Tür wieder, *die eben von mir **geschlossen wurde**?*

     Hast du die *durch das letzte Erdbeben zerstörte* Stadt gesehen?
     → Hast du die Stadt gesehen, *die durch das letzte Erdbeben **zerstört worden ist**?*

werden-Passiv: Die Handlung bzw. der Vorgang ist wichtig („Vorgangspassiv"). Oft werden Modalitäten (Umstände) genannt, die mit „wann?" / „von wem?" / „wie?" etc. erfragt werden können.

(2) Er steht vor einer *geschlossenen* Tür.
     → Er steht vor einer Tür, *die **geschlossen ist**.*

     Wir fuhren durch eine *seit langer Zeit zerstörte* Stadt.
     → Wir fuhren durch eine Stadt, *die seit langer Zeit **zerstört ist / zerstört war**.*

sein-Passiv: Das Resultat des Vorgangs, der Zustand ist wichtig („Zustandspassiv"). „Täter" und Modalitäten spielen keine Rolle. Das Partizip II hat häufig den Charakter eines Adjektivs. Oft kann man die Frage „seit wann?" stellen. (Zum *sein*-Passiv s. 10.2)

69. Formen Sie um! Bilden Sie Relativsätze!

1. Den von Ihnen verfassten Text habe ich noch nicht gelesen.
    →

2. Nur langsam kamen die Rettungsfahrzeuge auf den mit Vulkanasche bedeckten Straßen voran.
    →

3. Im Versandhandel kann man auch für den Betrieb in Deutschland nicht zugelassene Funkgeräte bestellen.
    →

4. Sie hielten sich in dem für Nichtschwimmer gesperrten Teil des Schwimmbads auf.

   →

5. Die für die Stahlproduktion verwendete Kohle muss importiert werden.

   →

6. In dem Ende letzten Jahres veröffentlichten Bericht wurde auf die steigende Lebenserwartung hingewiesen.

   →

7. Legen Sie bitte nur die alphabetisch geordneten Anträge auf meinen Schreibtisch – nicht die anderen!

   →

8. Im Hochwassergebiet hat sich die Lage in den seit mehr als zwei Wochen überschwemmten Dörfern weiter verschlechtert.

   →

9. Die Nahrungsmittelversorgung der völlig von der Außenwelt abgeschnittenen Bevölkerung ist sehr schwierig.

   →

10. Die per Bahn oder Lkw bis in die Nähe des Katastrophengebiets beförderten Güter müssen mit dem Hubschrauber weiter verteilt werden.

    →

6.2.2 Modales Partizip (*zu* + Partizip I) → Relativsatz

Dies ist eine *noch zu klärende* Frage.

→ Dies ist eine Frage,　　a) *die noch zu klären ist.*
　　　　　　　　　　　　b) *die noch geklärt werden muss.*

Kennen Sie das *hier einzusetzende* Wort?

→ Kennen Sie das Wort,　a) *das hier einzusetzen ist?*
　　　　　　　　　　　　b) *das hier eingesetzt werden soll?*

Dies war ein *kaum zu lösendes* Problem.

→ Dies war ein Problem,　a) *das kaum zu lösen war.*
　　　　　　　　　　　　b) *das kaum gelöst werden konnte.*

Das modale Partizip entspricht dem Passiv mit Modalverb.
(Weitere Umschreibungsmöglichkeiten s. *Ü 101*)

70. *Formen Sie um!*

1. Ich habe mir vorhin das nur an Nichtraucher zu vermietende WG-Zimmer angesehen.
   → a) *Ich habe mir vorhin das WG-Zimmer angesehen, das nur an Nichtraucher zu vermieten ist.*
   → b) *Ich habe mir vorhin das WG-Zimmer angesehen, das nur an Nichtraucher vermietet werden soll.*

2. Nennen Sie mir bitte die zu unterstreichenden Wörter!
   → a)
   → b)

3. Die zu befürchtende Verschlechterung ihres Gesundheitszustandes ist leider eingetreten.
   → a)
   → b)

4. Alle zu Busfahrern auszubildenden Personen müssen sich einem Sehtest unterziehen.
   → a)
   → b)

5. Er hat mir ein nicht misszuverstehendes Zeichen gegeben.
   → a)
   → b)

6. Die bei der Tour de France zurückzulegende Gesamtstrecke beträgt rund 4000 km.
   → a)
   → b)

7. Ich habe die an die Versicherung zu zahlenden Beiträge bereits überwiesen.
   → a)
   → b)

8. Die etwa 20 noch zu korrigierenden Tests lege ich Ihnen später auf den Schreibtisch.
   → a)
   → b)

9. Nicht mehr zu reparierende Computer müssen als Elektronikschrott entsorgt werden.
   → a)
   → b)

71. *Formen Sie die markierten Linksattribute in Relativsätze um!*

1. Viele <u>an einer Spezialausbildung interessierte</u> Wissenschaftler müssen für einige Zeit ins Ausland gehen.
   →

2. Wegen der starken, <u>oft das Angebot übersteigenden</u> Nachfrage nach Studienplätzen können nicht alle, die sich bewerben, einen Studienplatz erhalten.
   →

3. Die Studienbewerber sollten sich bemühen, nur <u>vollständig und richtig ausgefüllte</u> Anträge auf Zulassung an die <u>sie interessierende</u> Universität zu schicken.
   →

4. Alle <u>rechtzeitig eingereichten</u> Anträge werden von den Sachbearbeitern überprüft.
   →

5. <u>Zu spät eingegangene</u> Anträge können nicht mehr berücksichtigt werden.
   →

6. Einige Universitäten versuchen, die <u>zwar seit langem bestehenden, den Studienbeginn aber oftmals verzögernden</u> festen Bewerbungstermine flexibler zu gestalten.
   →

7. Trotz der <u>im Ausland zu erwartenden</u> Schwierigkeiten verlassen viele Menschen aus Not ihre Heimat.
   →

8. So muss die <u>unter den Kämpfen leidende</u> Zivilbevölkerung aus Kriegs- und Bürgerkriegsgebieten fliehen.
   →

9. Auch <u>von der Geheimpolizei verfolgte</u> Menschen gehen oft in die Emigration.
   →

10. Die <u>in der vergangenen Woche nach Deutschland eingereisten</u> Pakistaner haben um politisches Asyl gebeten.
    →

11. Die <u>bis auf wenige Ausnahmen mittellosen</u> Flüchtlinge bekommen Sozialhilfe.
    →

12. Wegen der <u>in den letzten Jahren stark angestiegenen</u> Zahl von Sozialhilfeempfängern wird die finanzielle Situation der Kommunen immer schwieriger.
    →

* **72. Formen Sie um!**

1. Auf einer kurzfristig einberufenen und daher nur von wenigen Journalisten besuchten Pressekonferenz wurde gestern der erste Teil einer Studie zur Veränderung des Kauf- und Freizeitverhaltens vorgestellt.
   →

2. Die bereits seit zwei Jahren laufenden, interdisziplinär durchgeführten Untersuchungen sind außerordentlich umfangreich.
   →

3. Von den Vertretern der an der Durchführung des Projekts beteiligten Forschungseinrichtungen wurde besonders die gute Zusammenarbeit hervorgehoben.
   →

4. Das von der Wirtschaft angeregte und finanziell unterstützte Forschungsvorhaben soll Ende nächsten Jahres abgeschlossen werden.
   →

5. Von der Studie erhoffen sich Handel und Tourismusindustrie genaue Aussagen über die für die nähere Zukunft zu erwartenden Trends und Entwicklungen im Konsumverhalten.
   →

---

6. Leider muss die für den nächsten Dienstag angekündigte und bereits mehrfach verschobene Informationsveranstaltung endgültig abgesagt werden.
   →

7. Grund dafür sind nicht zu behebende Terminschwierigkeiten der Referenten.
   →

8. Die für die Studienplanung wichtigsten Informationen können aber ab sofort im Internet abgefragt werden.
   →

9. Sie sind auch in einer ab Semesterbeginn im Sekretariat kostenlos erhältlichen Broschüre zusammengestellt.
   →

10. Außerdem wird auf die in den einzelnen Instituten aushängenden Informationen zu Sprechstunden bzw. zu Studienberatungsterminen hingewiesen.
    →

73. *Formen Sie die Relativsätze in Partizipialattribute um! (Partizip I)*

1. Der Zug, der in wenigen Minuten nach München weiterfährt, hat heute ausnahmsweise keinen Speisewagen.
   → *Der in wenigen Minuten nach München* _____ *Zug hat heute ausnahmsweise keinen Speisewagen.*
2. Die Gebrauchsanweisung, die dem Produkt beiliegt, muss unbedingt beachtet werden.
   →
3. Diese Zeitschrift, die vierteljährlich erscheint, hat eine Auflage von 8000 Exemplaren.
   →
4. Kongressteilnehmer, die nach 22 Uhr eintreffen, haben keinen Anspruch mehr auf ein Einzelzimmer.
   →

74. *Formen Sie die Relativsätze in Partizipialattribute um! (Partizip II)*

1. Der Zug, der soeben auf Gleis 3 eingefahren ist, fährt 17:38 nach München weiter.
   → *Der soeben auf Gleis 3* _____ *Zug fährt 17:38 nach München weiter.*
2. Bei Urteilen, die vom Bundesgerichtshof gefällt werden, ist eine Revision nicht möglich.
   →
3. Das Konzert, das wegen Erkrankung der Künstlerin ausgefallen ist, wird zu einem späteren Zeitpunkt nachgeholt.
   →
4. Die Gebrauchsanweisung, die dem Produkt beigelegt ist, muss unbedingt beachtet werden.
   →

75. *Formen Sie die Relativsätze in Partizipialattribute um! (modales Partizip)*

1. Bei dem Experiment traten Schwierigkeiten auf, die nicht zu beheben waren.
   → *Bei dem Experiment traten nicht* _____ *Schwierigkeiten auf.*
2. Auf der Versammlung wurden Vorbehalte gegen das Projekt geäußert, die sehr ernst genommen werden müssen.
   →
3. Die Reihenfolge der Fragen, die auf jeden Fall besprochen werden sollten, kann noch abgeändert werden.
   →
4. Alle Stoffe, die nicht sofort gefahrlos entsorgt werden können, müssen zwischengelagert werden.
   →

* 76. *Formen Sie die Relativsätze in Linksattribute um!*

Hinweis: Die Umwandlung von Relativsätzen in Linksattribute ist nur möglich, wenn das Relativpronomen Subjekt ist! Ggf. muss zuerst der Relativsatz entsprechend umgewandelt werden (Aktiv → Passiv!)

Beispiel: Ein Baum, **den** der Sturm umgeworfen hatte, versperrte die Zufahrt zur Tankstelle.
  → Ein Baum, **der** vom Sturm umgeworfen worden war, versperrte die Zufahrt zur Tankstelle.
  → *Ein vom Sturm umgeworfener Baum versperrte die Zufahrt zur Tankstelle.*

1. Ich habe mich mit einem Mann unterhalten, der mir seit vielen Jahren bekannt ist.

 →

2. Die Liste der Gebühren, die die Studierenden zahlen mussten, war sehr lang.

 →

3. Bücher, die ausgeliehen sind, können vorbestellt werden.

 →

4. Das Hotel, das wegen Umbauarbeiten geschlossen ist, wird erst in der nächsten Saison wieder eröffnet.

 →

5. Der Meinung, die Sie vertreten, kann ich wirklich nicht zustimmen.

 →

6. Es mussten mehrere Teile ausgewechselt werden, die nicht mehr zuverlässig funktionierten.

 →

7. Die Höhe der Investitionen, die mit dem Kohleabbau verbunden sind, ist erheblich.

 →

8. Mit dem Geld, das die Regierung beim Verkauf von Staatseigentum einnimmt, sollen alte Schulden bezahlt werden.

 →

9. Es gibt kritische Zeitungskommentare über die Zuverlässigkeit der Daten zur wirtschaftlichen Entwicklung, die die Bundesregierung gestern vorgelegt hat.

 →

10. Ein U-Boot, das nach einer Explosion schwer beschädigt auf den Meeresgrund gesunken ist, soll von einer Spezialfirma gehoben werden.

 →

11. Eine Radfahrerin, die den Radweg in der falschen Richtung befuhr, wurde von einem Auto erfasst, das nach rechts abbog.

 →

12. Die Tarifverhandlungen, die gestern abgebrochen worden sind, sollen zunächst nicht fortgesetzt werden.

 →

13. Das ist der letzte der dreizehn Sätze dieser Übung, die Sie umwandeln sollen.

 →

6.3 Verstehensschwierigkeiten bei der Häufung von Rechtsattributen

Typisch für die deutsche Sprache ist die (fast unbegrenzte) Möglichkeit, Nomen durch Attribute genauer zu determinieren. Wenn mehrere Rechtsattribute vorkommen, ist die Entscheidung, zu welchem Nomen ein bestimmtes Attribut gehört, manchmal schwierig, da Präpositionalattribute nicht immer direkt hinter ihrem Bezugswort stehen:

1. …die Höhe der Kosten für die Restaurierung des Schlosses von Sanssouci …
2. …ein Fax aus Quito an die Exportabteilung der Firma …
3. …die Eroberung der Hauptstadt des Byzantinischen Reiches durch die Truppen des osmanischen Sultans nach einer Belagerung von mehreren Jahren …

Eine graphische Darstellung der Abhängigkeitsverhältnisse kann die Beziehungen verdeutlichen:

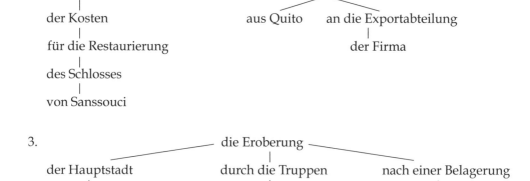

* **77.** *Stellen Sie die Abhängigkeitsverhältnisse zwischen Bezugswörtern und Rechtsattributen graphisch dar!*

1. Das Jugendamt ordnete <u>die Aufnahme von Ottos Geschwistern in ein Heim für Kinder aus zerrütteten Familien an der Peripherie der Stadt</u> an.

2. Schon im Jahr 1483 war der Erdumfang durch <u>astronomische Messungen portugiesischer Wissenschaftler an der Westküste Afrikas in der Nähe des Äquators</u> in Lissabon ziemlich genau bekannt.

3. Oft sind <u>die Ansichten von Großeltern, Freunden oder Nachbarn über die Erziehung der Kinder zu angepassten Mitgliedern der Gesellschaft</u> bestimmend <u>für das Verhalten der Eltern gegenüber ihrem Nachwuchs</u>.

6.4 Infinitivsätze, *dass*-Sätze und indirekte Fragesätze als Attribute
(Solche Attribute sind nur möglich nach abstrakten Nomen des *Denkens, Wissens, Befürchtens, Vermutens …*)

(1)   Er hatte auf das Bestehen der Prüfung gehofft; diese Hoffnung wurde enttäuscht.
→ Seine Hoffnung, *die Prüfung zu bestehen,* wurde enttäuscht.

(2)   Die Bürger ärgern sich über das Steigen der Preise. Dieser Ärger ist begreiflich.
→ Der Ärger der Bürger *(darüber), dass die Preise steigen,* ist begreiflich.

(3.1) Oft wird nach dem Nutzen eines Auslandsstudiums gefragt. Diese Frage kann man nicht generell beantworten.
→ Die Frage, *ob ein Auslandsstudium nützlich ist,* kann man nicht generell beantworten.

(3.2) Es gibt verschiedene Theorien über den Beginn des Lebens auf der Erde.
→ Es gibt verschiedene Theorien *(darüber), wie / wann das Leben auf der Erde begonnen hat.*

78. *Bilden Sie Attributsätze!*

1. Du willst mit dem Rauchen aufhören? Diese Absicht finde ich gut!
→ *Deine Absicht, _____, finde ich gut!*

2. Tuberkulose wird durch Bakterien hervorgerufen.
Der Beweis dafür ist von Robert Koch erbracht worden.
→ *Der Beweis dafür, …*

3. Der Ausgang der Friedensverhandlungen ist noch ungewiss.
Diese Ungewissheit beunruhigt alle.
→ *Die Ungewissheit, …*

4. Sie möchte ein Geschäft eröffnen. – Dieser Wunsch hat uns sehr überrascht.
→ *Ihr Wunsch, …*

5. Wir planen den Umbau unseres Hauses.
Mit diesem Plan beschäftigen wir uns schon lange.
→ *Mit dem Plan, …*

6. In China werden auch Turksprachen gesprochen.
Diese Tatsache ist bei uns nur wenigen bekannt.
→ *Die Tatsache, …*

7. Ich zweifle an der Richtigkeit meiner Entscheidung.
Diese Zweifel lassen mich nicht mehr los.
→ *Die Zweifel, …*

8. Wo soll radioaktiver Müll gelagert werden?
Dieses Problem ist noch ungelöst.
→ *Das Problem, …*

9. Die Bankangestellten fordern eine Verkürzung der Arbeitszeit.
Ihre Forderung wird von der Gewerkschaft unterstützt.
→ *Die Forderung der Bankangestellten, …*

* **79.** *Verbinden Sie die Satzpaare!*

(Der Satz in der linken Spalte wird ein Attribut des unterstrichenen Nomens.)

1. Bei steigenden Benzinpreisen fahren die Leute zunächst weniger Auto.   Diese <u>Erfahrung</u> hat man schon früher gemacht.

    → *Man hat die Erfahrung, dass bei steigenden Benzinpreisen die Leute zunächst weniger Auto fahren, schon früher gemacht.*

2. Wie gefährlich sind Atomkraftwerke?   Viele Menschen stellen sich diese <u>Frage</u>.

    →

3. Der Energiebedarf der deutschen Wirtschaft verdoppelt sich alle 10 Jahre.   Noch 1985 ging man von dieser <u>Annahme</u> aus.

    →

4. Wie viel Energie brauchen wir in den nächsten Jahren wirklich?   Diese <u>Ungewissheit</u> besteht weiterhin.

    →

5. Die Weltbevölkerung wächst weiter.   Diese <u>Tatsache</u> muss man berücksichtigen.

    →

6. Wirtschaftliches Wachstum ist die Bedingung für Wohlstand.   Diese <u>Behauptung</u> ist von den Wirtschaftswissenschaftlern aufgestellt worden.

    →

7. Wie kann man Arbeit und Einkommen gerechter verteilen?   Das <u>Problem</u> ist noch ungelöst.

    →

8. Wollen Sie mehr Geld oder mehr Freizeit?   Sie müssen die <u>Entscheidung</u> treffen.

    →

9. Durch staatliche Lenkung können Wirtschaftskrisen verhindert werden.   Diese <u>Erwartung</u> hat sich nicht bestätigt.

    →

10. Wir haben von der Gefährdung der Umwelt durch die Industrie nichts geahnt.   Diese <u>Ausrede</u> gilt schon lange nicht mehr.

    →

11. Alle Bewerber bekommen im Sommersemester einen Studienplatz.   Leider ist diese <u>Hoffnung</u> unberechtigt.

    →

12. Es wird noch lange keinen dauerhaften Frieden auf dem Balkan geben.   Diese <u>Befürchtung</u> haben viele Leute.

    →

7 Konjunktiv II

7.1 Formen

7.1.1 Konjunktiv II der Gegenwart

		einfache Form		*zusammengesetzte Form* (*würde-* + *Infinitiv*)
	(Präteritum)			
lernen	ich lernte	ich lernte **-e**		ich würde lernen
	du lerntest	du lerntest **-est**		du würdest lernen
	man lernte	man lernte **-e**		man würde lernen
	wir lernten	wir lernten **-en**		wir würden lernen
	ihr lerntet	ihr lerntet **-et**		ihr würdet lernen
	sie lernten	sie lernten **-en**		sie würden lernen
kommen	ich kam	ich **käme** *		ich würde kommen
	du kamst	du **kämest**		du würdest kommen
	man kam	man **käme**		man würde kommen
	wir kamen	wir **kämen**		wir würden kommen
	ihr kamt	ihr **kämet**		ihr würdet kommen
	sie kamen	sie **kämen**		sie würden kommen

* bei starken Verben Umlaut

haben	ich hatte	ich hätte	
sein	ich war	ich wäre	
werden	ich wurde	ich würde	
können	ich konnte	ich könnte	*zusammengesetzte Formen*
dürfen	ich durfte	ich dürfte	*unüblich!*
müssen	ich musste	ich müsste	
sollen	ich sollte	ich sollte	
wollen	ich wollte	ich wollte	
wissen	ich wusste	ich wüsste	

Bei vielen starken Verben sind die einfachen Formen des Konjunktivs II heute unüblich; daher werden meistens die zusammengesetzten Formen verwendet:

helfen	ich half	(ich ~~hülfe~~)	ich würde helfen
verstehen	ich verstand	(ich ~~verstünde~~ / verstände)	ich würde verstehen
gewinnen	ich gewann	(ich ~~gewönne~~)	ich würde gewinnen

7.1.2 Konjunktiv II der Vergangenheit

lernen	ich hätte gelernt du hättest gelernt usw.	kommen	ich wäre gekommen du wärest gekommen usw.

mit Modalverb:

lernen	ich hätte lernen müssen du hättest lernen müssen usw.	kommen	ich hätte kommen können du hättest kommen können usw.

7.1.3 Passiv-Formen im Konjunktiv II

		ohne Modalverb	mit Modalverb
Gegenwart :	*werden* - Passiv	es würde gelesen	es müsste gelesen werden
	sein - Passiv	es wäre geöffnet	es müsste geöffnet sein
Vergangenheit :	*werden* - Passiv	es wäre gelesen worden	es hätte gelesen werden müssen
	sein - Passiv	es wäre geöffnet gewesen	es hätte geöffnet sein müssen

7.2 Verwendung des Konjunktivs II

Den Konjunktiv II verwendet man

1. bei höflichen Anfragen oder Bitten:
   Könnte ich bitte noch einen Kaffee haben? (s. Nr. 7.2.2)

2. bei Wünschen:
   Hätte ich doch mehr Grammatik gelernt! (s. Nr. 7.2.2)

3. bei Vermutungen:
   Vera dürfte inzwischen mit dem Studium fertig sein. (s. Nr. 9.2.1)

4. in hypothetischen bzw. irrealen Konditionalsätzen:
   Er wäre rechtzeitig gekommen, wenn er ein Taxi genommen hätte. (s. Nr. 7.2.1)

5. in irrealen Vergleichssätzen:
   Er fährt, als ob er ein Rennfahrer wäre! (s. Nr. 7.2.2)

6. in „negativen" Konsekutivsätzen:
   Die Fenster sind noch zu sauber, als dass du sie schon wieder putzen müsstest. (s. Nr. 4.10)

7. in der indirekten Rede neben dem Konjunktiv I:
   Sie sagten, dass sie abends nie spazieren gingen und dass sie auch keinen Hund hätten.
   (s. Nr. 8.2.1)

7.2.1 Der Konjunktiv II im Konditionalsatz

(1)
Wenn ich reich *wäre,*
{ *würde* ich eine Weltreise *machen.*
  machte ich eine Weltreise. }

Wenn wir Zeit *hätten,*
{ *würden* wir Fußball spielen.
  spielten wir Fußball. }

Wenn ich *könnte, wäre* ich jetzt zu Hause.

Wenn er jetzt *käme, könnten* wir den Zug noch *erreichen.*
Käme er jetzt*, *(dann) könnten* wir den Zug noch *erreichen.*

- Wenn man für die Gegenwart bzw. Zukunft eine Bedingung nennt, die wahrscheinlich nicht Wirklichkeit wird, benutzt man den *Konjunktiv II der Gegenwart* (hypothetischer Konditionalsatz).
- Die einfachen Formen des Konjunktivs II werden in der Umgangssprache immer mehr durch die zusammengesetzten Formen (*würde-* + Infinitiv) ersetzt.
- Bei häufig gebrauchten Verben (z. B. *haben, sein, werden;* Modalverben; *kommen, gehen, bleiben, wissen* etc.) benutzt man aber die einfache Form.

(2.1) Wenn er mich *besucht hätte, hätte* ich mich *gefreut.*

Wenn wir mit dem Zug *gefahren wären, wären* wir pünktlich *angekommen.*

Wenn ich die Prüfung *bestanden hätte, wäre* ich sehr glücklich *gewesen.*
Hätte ich die Prüfung *bestanden*, *(dann) wäre* ich sehr glücklich *gewesen*

(2.2) Wenn du mich morgen *besucht hättest* (statt heute), *hätte* ich mehr Zeit für dich *gehabt.*
Hättest du mich morgen *besucht** (statt heute), *hätte* ich mehr Zeit für dich *gehabt.*

- Wenn man eine Bedingung nennt, die niemals Wirklichkeit werden kann, benutzt man den *Konjunktiv II der Vergangenheit.*
- Das gilt immer für die Vergangenheit (2.1), kann aber in seltenen Fällen auch für die Zukunft gelten (2.2) (irrealer Konditionalsatz).

(3) Wenn er nicht *hätte* arbeiten *müssen, wäre* er sicher *gekommen.*

Wenn im Nebensatz das Prädikat aus der Personalform und **zwei** Infinitiven besteht, steht die Personalform **vor** den Infinitiven.

*uneingeleiteter Konditionalsatz (s. Clamer / Heilmann: Grundstufengrammatik, Nr. 9.5)

80. Bilden Sie Konditionalsätze mit dem Konjunktiv II der Gegenwart!
(Stellen Sie sich das Gegenteil vor!)

1. Zum Glück bist du wieder gesund; du kannst Sport treiben.
    → *Wenn du noch krank wärest, könntest du keinen Sport treiben.*
2. Leider ist der Laden schon zu; ich kann kein Brot mehr kaufen.
    →
3. Sie hat leider keine Zeit und kann nicht zu meinem Geburtstag kommen.
    →
4. Ich muss einen Spanisch-Kurs besuchen, denn ich kann kein Spanisch.
    →
5. Ich darf das Wörterbuch nicht benutzen, daher kann ich den Text nicht gut übersetzen.
    →
6. Hier werden regelmäßig Radarkontrollen durchgeführt; darum fahren die Autos nicht zu schnell.
    →

81. Bilden Sie Konditionalsätze mit dem Konjunktiv II der Vergangenheit!
(Stellen Sie sich das Gegenteil vor!)

1. Die Prüfung war zu schwer; ich habe sie nicht bestanden.
    → *Wenn die Prüfung nicht so schwer gewesen wäre, hätte ich sie bestanden.*
2. Er hat den Bewerbungstermin verpasst, denn er wurde nicht rechtzeitig informiert.
    →
3. Wir haben den Schlüssel nicht wiedergefunden; also musste das Türschloss ausgetauscht werden.
    →
4. Der Patient ist nicht sofort operiert worden; er konnte nicht mehr gerettet werden.
    →
5. Mein Bruder hat die Schule noch nicht beendet; so ist er nicht mit mir ins Ausland gegangen.
    →
6. Die Presse konnte nicht anschaulich berichten, denn es durften keine Fotos gemacht werden.
    →

82. Bilden Sie Konditionalsätze mit Passiv-Formen im Konjunktiv II!

1. Es wird kein Tempolimit auf Autobahnen eingeführt.
   → *Es wäre besser, wenn ein Tempolimit auf Autobahnen eingeführt würde.*
2. Das Konzert wird nicht wiederholt.
   → *Es wäre schön, wenn …*
3. Die Bauarbeiten sind noch nicht beendet.
   → *Es wäre hier ruhiger, wenn …*
4. Die Produktion kann nicht mehr gesteigert werden.
   → *Es wäre vorteilhaft, wenn …*
5. Bei Autos braucht das Fahrlicht tagsüber nicht eingeschaltet zu sein.
   → *Ich würde es für richtig halten, wenn …*
6. Die Brücke wurde nicht gesperrt.
   → *Es wäre besser gewesen, wenn …*
7. Das Telefonieren im Flugzeug war erlaubt.
   → *Es wäre besser gewesen, wenn …*
8. Die Produktionskosten konnten nicht weiter gesenkt werden.
   → *Es wäre von Vorteil gewesen, wenn …*
9. Taxis mussten früher nicht mit Sicherheitsgurten ausgerüstet sein.
   → *Es wäre besser gewesen, wenn …*
10. Die Warnanlage durfte am Tag nicht eingeschaltet bleiben.
    → *Es wäre besser gewesen, wenn …*

83. Bilden Sie Konditionalsätze mit dem Konjunktiv II!
   (Stellen Sie sich das Gegenteil vor!)

1. Ich habe die Sprachprüfung nicht bestanden; ich bin jetzt noch nicht im Fachstudium.
   →
2. Sie konnten nicht einreisen, weil sie kein Visum hatten.
   →
3. Seine Aufenthaltserlaubnis wurde nicht verlängert; er muss das Land verlassen.
   →
4. Das Computerprogramm läuft nicht einwandfrei, denn beim Programmieren wurden Fehler gemacht.
   →
5. Der Rhein wurde im 19. Jh. begradigt; seitdem kommt es zu schweren Überschwemmungen.
   →
6. Glücklicherweise herrscht auf dem Telekommunikations-Sektor eine starke Konkurrenz; daher sind die Telefongebühren gesenkt worden.
   →

* 84. *Formen Sie die Konditional-Angaben in Konditionalsätze um!*
Achten Sie auf den Modus (nicht nur Konjunktiv II!) und die Zeitstufe.

1. Bei frühzeitiger Buchung des Fluges können wir Ihnen einen Preisnachlass von
   15% gewähren.
   →

2. Im Falle Ihrer Verhinderung bitten wir Sie, uns rechtzeitig zu informieren.
   →

3. Bei genauer Beachtung der Gebrauchsanweisung wäre diese Panne nicht passiert.
   →

4. Unter günstigeren Bedingungen gäbe es mehr Interessenten.
   →

5. Bei einer Verkürzung der Wochenarbeitszeit um zwei Stunden könnten viele neue
   Arbeitsplätze geschaffen werden.
   →

6. Ohne regelmäßige Teilnahme an Fortbildungsveranstaltungen hätte sie die neue
   Stelle nicht bekommen.
   →

7. Bei einem plötzlichen Temperaturanstieg um über 100 Kelvin muss man mit einem Defekt in der Anlage rechnen.
   →

8. Bei etwas mehr Unterstützung durch seine Familie wäre Peter nicht in diese schwie-
   rige Lage geraten.
   →

9. Bei häufigerer Verwendung von Naturheilmitteln könnten die Kosten im Gesund-
   heitswesen sinken.
   →

10. Ohne ausreichende Deutschkenntnisse kann man weder in Deutschland noch in
    Österreich studieren.
    →

7.2.2 Weiterer Gebrauch des Konjunktivs II

(1) Wunsch:

> <u>Wenn</u> ich <u>doch</u> schon zu Hause *wäre!*
> *Wäre* ich <u>doch</u> schon zu Hause!
>
> <u>Wenn</u> ich <u>doch nur</u> dieses teure Notebook nicht *gekauft hätte!*
> *Wäre* ich <u>nur</u> zu Hause *geblieben!*

(2) Höfliche Anfrage bzw. Bitte:

Käme dieser Termin für Sie *infrage?*

Könnten Sie am Dienstag *kommen?*

Würden Sie bitte hier *unterschreiben?*

(3) Vergleich (irreal):

Sie spricht <u>so</u> deutlich, <u>als ob</u> sie eine Sprachlehrerin *wäre.*
Sie spricht <u>so</u> deutlich, <u>als</u> *wäre* sie eine Sprachlehrerin.

Sie tut <u>so</u>, <u>als ob</u> sie uns nicht *gesehen hätte.*
Sie tut <u>so</u>, <u>als</u> *hätte* sie uns nicht *gesehen.*

* 85. *Benutzen Sie den Konjunktiv II!*

(1) Er ist leider nicht gesund.
→ *Wenn er doch gesund wäre! / Wäre er doch gesund!*
Ich habe den Geburtstag meiner Freundin leider vergessen.

→

Leider habe ich meinem alten Grammatiklehrer nicht geglaubt.

→

Sie kann leider nicht gut Deutsch.

→

(2) Darf ich Sie um einen Gefallen bitten?
→ *Dürfte ich Sie um einen Gefallen bitten?*
Können Sie mir das Buch bis Mittwoch leihen?

→

Ist Ihnen ein Termin am Dienstag recht?

→

Bringen Sie mir das neue Vorlesungsverzeichnis mit?

→

(3) Ist er der Chef?
→ *Nein. Er tut nur so, als ob er der Chef wäre. / Er tut nur so, als wäre er der Chef.*
Weiß man wirklich alles über die Entwicklung der Lebewesen?
→ *Nein, aber einige Professoren reden so, als ob sie …*
Gehört Herr Neuß zu den Beratern des Präsidenten?
→ *Nein, aber er benimmt sich so, …*
Im Traum konnte ich fliegen.
→ *Kam es dir wirklich so vor, …?*
Hatten sie Streit miteinander?
→ *Nein, aber sie verhalten sich so, …*

8 Konjunktiv I

8.1 Formen

8.1.1 Konjunktiv I der Gegenwart	Konjunktiv II als Ersatz für die Formen, die mit dem Präsens identisch sind (nur indirekte Rede)
lernen	(ich lerne) **-e**	→ ich lernte / ich würde lernen
	du lernest **-est**	
	man lerne **-e**	
	(wir lernen) **-en**	→ wir lernten / wir würden lernen
	ihr lernet **-et**	
	(sie lernen) **-en**	→ sie lernten / sie würden lernen
kommen	(ich komme)	→ ich käme / ich würde kommen
	du kommest	
	man komme	
	(wir kommen)	→ wir kämen / wir würden kommen
	ihr kommet	
	(sie kommen)	→ sie kämen / sie würden kommen
haben	(ich habe)	→ ich hätte
	du habest	
	man habe	
	(wir haben)	→ wir hätten
	ihr habet	
	(sie haben)	→ sie hätten
sein	ich sei	
	du seiest	
	man sei	
	wir seien	
	ihr seiet	
	sie seien	
werden	(ich werde)	→ ich würde
	du werdest	
	man werde	
	(wir werden)	→ wir würden
	(ihr werdet)	→ ihr würdet
	(sie werden)	→ sie würden
sollen	ich solle	
	du sollest	
	man solle	
	(wir sollen)	→ wir sollten
	ihr sollet	
	(sie sollen)	→ sie sollten

8.1.2 Konjunktiv I der Vergangenheit | **Konjunktiv II als Ersatz für die Formen, die mit dem Perfekt identisch sind**
(nur indirekte Rede)

lernen	(ich habe gelernt)	→	ich hätte gelernt
	du habest gelernt		
	man habe gelernt		
	(wir haben gelernt)	→	wir hätten gelernt
	ihr habet gelernt		
	(sie haben gelernt)	→	sie hätten gelernt
kommen	ich sei gekommen		
	du seiest gekommen		
	man sei gekommen		
	wir ...		

mit Modalverb:

	(ich habe lernen müssen)	→	ich hätte lernen müssen
	du habest lernen müssen		
	man habe lernen müssen		
	(wir haben lernen müssen)	→	wir hätten lernen müssen
	ihr habet lernen müssen		
	(sie haben lernen müssen)	→	sie hätten lernen müssen

8.1.3 Passiv-Formen im Konjunktiv I

		ohne Modalverb	mit Modalverb
Gegenwart :	*werden* - Passiv	es werde gelesen	es müsse gelesen werden
	sein - Passiv	es sei geöffnet	es müsse geöffnet sein
Vergangenheit :	*werden* - Passiv	es sei gelesen worden	es habe gelesen werden müssen
	sein - Passiv	es sei geöffnet gewesen	es habe geöffnet sein müssen

8.2 Verwendung des Konjunktivs I

8.2.1 Der Konjunktiv in der indirekten Rede

Aus der Rede eines Regierungschefs vor dem Parlament (wörtliche Übersetzung):

Direkte Rede

„Eine vertragliche Einigung mit dem Nachbarstaat ist unerlässlich.
Die Völker haben lange genug unter den Auseinandersetzungen gelitten.
Ich frage mich:
War die jahrelange Bedrohung durch Bomben- und Raketenangriffe für uns nicht eine ebenso große Belastung wie für unsere Gegner?
Ich rechne mit der Vernunft der Menschen.
Mit dem Hass auf beiden Seiten muss endlich Schluss sein.

Der zur Abstimmung vorgelegte Vertrag wird helfen, den Frieden zu sichern.
Dieser Ansicht ist nicht nur meine eigene Partei.
Wenn das Regierungslager nicht gespalten gewesen wäre, hätte schon mein Amtsvorgänger diesen Schritt getan.
Noch gestern hat mir der UN-Generalsekretär versichert, dass dies der richtige Weg ist.
Zwar konnte nicht auf alle Einwände der Opposition Rücksicht genommen werden,
aber da ich mich früher in wichtigen Fragen auf eine breite Mehrheit stützen konnte, erwarte ich auch diesmal ein positives Ergebnis.
Unterstützen Sie meine Friedenspolitik, indem Sie dem Vertrag zustimmen!"

Über diese Rede steht am nächsten Tag folgender Bericht in einer deutschen Zeitung:

Indirekte Rede
Der Regierungschef sagte,
eine vertragliche Einigung mit dem Nachbarstaat *sei unerlässlich.*
Die Völker *hätten* lange genug unter den Auseinandersetzungen *gelitten.*
Er *frage* <u>sich</u>,
<u>ob</u> die jahrelange Bedrohung durch Bomben- und Raketenangriffe für <u>sie</u> nicht eine ebenso große Belastung wie für <u>ihre</u> Gegner *gewesen sei.*
Er *rechne* mit der Vernunft der Menschen.
Mit dem Hass auf beiden Seiten *müsse* endlich Schluss *sein.*

Er fuhr fort,
<u>dass</u> der zur Abstimmung vorgelegte Vertrag *helfen werde,* den Frieden zu sichern.
Dieser Ansicht *sei* nicht nur <u>seine</u> eigene Partei.
Wenn das Regierungslager nicht gespalten gewesen wäre, hätte schon <u>sein</u> Amtsvorgänger diesen Schritt getan.
Noch <u>am Vortag</u> *habe* <u>ihm</u> der UN-Generalsekretär versichert, dass dies der richtige Weg *sei.*
Zwar *habe* nicht auf alle Einwände der Opposition Rücksicht *genommen werden können,*
aber da <u>er</u> <u>sich</u> früher in wichtigen Fragen auf eine breite Mehrheit *habe* stützen können, erwarte* <u>er</u> auch diesmal ein positives Ergebnis.
Der Politiker forderte die Abgeordneten auf, <u>sie</u> *sollten* <u>seine</u> Friedenspolitik *unterstützen,* indem <u>sie</u> dem Vertrag *zustimmten.*

---

* In Nebensätzen mit **zwei** Infinitiven steht die Personalform **davor.**

- Man benutzt die indirekte Rede im Konjunktiv, wenn man das, was ein anderer gesagt oder geschrieben hat, möglichst genau wiedergeben will und wenn man dabei gleichzeitig ausdrücken will, dass man für die Richtigkeit der Aussage nicht garantieren kann.

- Die indirekte Rede findet man häufig in wissenschaftlichen Texten, in denen der Verfasser die Meinung anderer Wissenschaftler wiedergibt, in Zeitungen und in Nachrichtensendungen. Weil meistens Äußerungen dritter Personen referiert werden, kommen fast ausschließlich Formen der 3. Pers. Sg. bzw. Pl. vor.

- Bei unbezweifelbaren Tatsachen sowie häufig auch in der Umgangssprache benutzt man für die indirekte Rede den Indikativ.

- In der indirekten Rede benutzt man in der Regel den Konjunktiv I.
  Wenn Konjunktiv-I-Form und Präsensform bzw. Perfektform gleich sind, benutzt man den Konjunktiv II, vorzugsweise die einfache Form.

- Für die Vergangenheit benutzt man die mit *haben* und *sein* gebildeten Formen: *habe-* / *hätte-* oder *sei-* + Partizip II.

- Die Pronomen und Possessivartikel sowie die Hinweise auf Ort und Zeit müssen zum Teil verändert werden.

- Fragen werden durch indirekte Fragesätze wiedergegeben.

- Aufforderungen werden mit *sollen* wiedergegeben, Bitten mit *mögen*.

- Der Konjunktiv I wird in der indirekten Rede zunehmend durch den Konjunktiv II ersetzt.

86. Bilden Sie die indirekte bzw. direkte Rede!

Frau von Berneburg berichtet:
<u>direkte Rede</u>

„Ich war am Sonntag bei meiner Freundin
in Hamburg. ⟶ <u>indirekte Rede</u>
Meine Freundin wohnt dort seit drei Jahren. *Sie sei…*

Ich bin mit dem Zug gefahren, weil ich kein
Auto habe.

Am Sonntagnachmittag sind meine Freundin
und ich ins Museum gegangen.
Wir haben uns eine Picasso-Ausstellung angesehen.

Nach einer Stunde waren wir müde.
Wir wollten einen Kaffee trinken.
Aber leider war das Café des Museums ge-
schlossen."

„Wir ...

← ——

Sie hätten die Besichtigung noch eine Stunde fortgesetzt und seien dann wieder zur Wohnung ihrer Freundin gefahren.

Dort habe sie noch etwa zwei Stunden bleiben können.

Zum Glück sei es vom Haus ihrer Freundin zum Bahnhof nicht weit, sodass sie erst 20 Minuten vor Abfahrt des Zuges habe aufbrechen müssen.

Ihre Freundin habe sie zum Bahnhof begleitet und ihr beim Abschied gesagt, dass sie bald einmal wiederkommen solle.

87. Bilden Sie die indirekte Rede!

Ein politischer Flüchtling sprach mit einem Pastor über seine Probleme:

„Ich gehöre einer religiösen Minderheit an, die den Wehrdienst ablehnt. Ich musste mein Heimatland verlassen, weil ich von der Geheimpolizei verfolgt wurde. Ich und meine ganze Familie wurden Tag und Nacht observiert; wir konnten keine
5 privaten Telefongespräche mehr führen, weil wir wussten, dass unser Telefon abgehört wurde. Ich bin mehrere Male verhaftet, verhört und auch gefoltert worden. Jetzt bin ich zwar vor direkter Gewalt geschützt, aber ich habe immer noch große Probleme. Ich kann z. B. kaum schlafen, weil ich immer an meine Familie denken muss. Sie wird natürlich weiter überwacht; sogar meine Eltern werden beobachtet.
10 Bitte helfen Sie mir, auch meine Familie hierher zu holen!"

Der politische Flüchtling sagte, ...

* 88. Bilden Sie die indirekte Rede!

Wegen der starken Regenfälle trat der Rhein wieder einmal über seine Ufer. Die Bewohner der Häuser in Flussnähe wurden aufgefordert, die nötigen Sicherheitsmaßnahmen zu treffen. Ihnen wurde geraten, die Haustüren und Kellerfenster mit Sandsäcken zu sichern. Die Polizei sperrte das gefährdete Gebiet für den Verkehr.
5 Niemand durfte mit dem Auto hineinfahren. Wer seinen Verwandten zu Hilfe kommen wollte, musste zu Fuß gehen. Dadurch sollten unnötige Risiken vermieden werden.

Leider kommt es immer wieder zu solchen Überschwemmungen. Die Bewohner
der gefährdeten Gebiete kennen die Gefahren und wissen, was sie zu tun haben,
10 wenn der Rhein die Hochwassermarke überschreitet. Wenn aber im Fernsehen über
das Hochwasser berichtet wird, fahren viele Neugierige in die Notstandsgebiete.
Diese „Katastrophen-Touristen" stellen ein besonderes Risiko dar, weil sie Rettungsmaßnahmen, die im Notfall durchgeführt werden müssen, behindern können.

Ein Reporter des Rhein-Kuriers *berichtete, ...*

89. Bilden Sie die direkte Rede!

Ein Fußgänger, der von einem Motorradfahrer angefahren worden war, gab eine Schilderung seines
Unfalls.

Er habe die Straße auf einem Zebrastreifen überqueren wollen. Ein Lastwagen habe
vor dem Zebrastreifen gehalten, um ihn hinübergehen zu lassen. Da sei plötzlich
hinter dem Lastwagen ein Motorrad aufgetaucht, das den Lastwagen links habe
5 überholen wollen. Der Motorradfahrer habe ihn zunächst wohl nicht gesehen, und
als er dann gebremst habe, sei es ihm aber nicht mehr gelungen, das Motorrad vor
dem Zebrastreifen zum Halten zu bringen.

Vor Schreck sei er stehen geblieben, anstatt schnell vorwärts oder zurück zu sprin-
gen. Da sei es auch schon passiert: das Motorrad habe ihn angefahren, und er sei
10 gestürzt. Die Verletzungen, die er erlitten habe, seien zum Glück nicht schlimm.
Aber er habe leichte Schmerzen im Rücken. Er hoffe, dass sie bald vorbeigingen
und dass sich keine weiteren Komplikationen einstellten.

Der Fußgänger gab wörtlich zu Protokoll: *„Ich wollte die Straße auf einem Zebrastreifen*
überqueren. Ein Lastwagen ...

8.2.2. Weiterer Gebrauch des Konjunktivs I

(1) Feierliche oder religiös motivierte Redewendungen

Hoch *lebe* das Brautpaar!
Mögest du dich noch lange guter Gesundheit *erfreuen!*
Gott *behüte* dich! – Gott *sei* Dank!

In festlichen Ansprachen, in formelhaften Wendungen religiösen Ursprungs und
Gebeten werden Glückwunsch, Hoffnung, Dankbarkeit etc. oft mit dem Konjunktiv I ausgedrückt.

(2) Handlungsanweisungen

Nach der Montage des Getriebes *führe* man einen Probelauf mit halber Motor-
drehzahl *durch.*

Früher wurden in Gebrauchsanleitungen die Handlungsanweisungen oft mit dem
Konjunktiv I ausgedrückt. In modernen Texten dieser Art steht der formelle Impe-
rativ* oder der Infinitiv.
*s. Clamer / Heilmann: Übungsgrammatik für die Grundstufe, Nr. 1.3

(3) Formelhafte Hinweise

Dass Leonardo da Vinci Linkshänder war, *sei* nur am Rande *erwähnt.*

Es *sei* hier noch einmal auf die Möglichkeit *hingewiesen,* die das Internet bei der
Suche nach einschlägiger Literatur bietet.

In Vorträgen und Sachtexten wird oft für Hinweise der Konjunktiv I des *sein*-Passivs*
verwendet.
**sein*-Passiv s. Nr. 10.2

(4) Annahmen und Voraussetzungen („thetischer Konjunktiv")

Gegeben sei ein gleichseitiges Dreieck mit der Seitenlänge $a = 7$ cm.

Zwei Orte A und B *seien* genau 12 Straßenkilometer voneinander *entfernt.* Ein Auto
fahre um acht Uhr von A in Richtung B *ab;* es *habe* die konstante Geschwindigkeit
50 km/h. – Zur selben Zeit *verlasse* ein Mopedfahrer B in Richtung A; er *habe* die
konstante Geschwindigkeit 25 km/h.
– Wann und wo begegnen sich die Fahrzeuge?

Die Fahrzeuge *sollen* ihre Geschwindigkeit bis zu den Zielorten *beibehalten.*
– Wann erreichen sie die Zielorte?

– In älteren wissenschaftlichen Texten, besonders bei Aufgaben in mathematischen
  und naturwissenschaftlichen Lehrbüchern, werden Annahmen oder theoretische
  Voraussetzungen oft mit dem Konjunktiv I ausgedrückt.

– Den *thetischen Konjunktiv* gibt es nur im Singular. (Ausnahme: *seien*)
  Für den Plural – in modernen Texten zunehmend auch für den Singular – benutzt man den Indikativ.

– Die Annahme bzw. Voraussetzung kann auch mit Hilfe des Modalverbs *sollen*
  ausgedrückt werden.

9 Modalverben

9.1 Objektiver Gebrauch der Modalverben

Modalverb	Bedeutung und Beispielsatz	andere Ausdrücke
können	Fähigkeit *Ich kann schwimmen.*	die Fähigkeit haben fähig sein / imstande sein in der Lage sein vermögen
	Möglichkeit *Sie konnte keinen Parkplatz finden.*	die Möglichkeit haben sein + zu + Inf. (≙ Passiv!) (s. 9.3) es ist möglich sich lassen + Inf. (≙ Passiv!)
	Erlaubnis *Du kannst hereinkommen!*	dürfen die Erlaubnis haben
dürfen	Erlaubnis *Das Kind darf schwimmen gehen.*	können es ist gestattet / es ist erlaubt die Erlaubnis haben die Zustimmung erhalten die Genehmigung bekommen **neg.:** es ist verboten
wollen	Wille, Absicht, Bereitschaft *Sie will dir helfen.*	die Absicht / Intention haben beabsichtigen bereit sein die Bereitschaft zeigen vorhaben bestrebt sein
möchte-	Wunsch, Lust *Ich möchte zum Baden gehen.*	den Wunsch haben / wünschen Lust haben würde- gern + Inf.
müssen	Notwendigkeit, Zwang, Pflicht *Ich muss für die Prüfung arbeiten, weil ich sie diesmal bestehen will.*	gezwungen sein verpflichtet sein die Pflicht haben es ist nötig / es ist notwendig es ist erforderlich es ist unumgänglich haben + zu + Inf. (≙ Aktiv!) sein + zu + Inf. (≙ Passiv!) (s. 9.3) **neg.:** brauchen (+ zu) + nicht / kaum / kein- / nur
sollen	Auftrag (fremder Wille) / Erwartung *Ich soll dir von Max sagen, dass er kommt* *Soll ich dir helfen?*	beauftragt sein den Auftrag haben es wird erwartet
	Empfehlung (Konjunktiv II!) *Du solltest nicht so viel rauchen!*	es ist ratsam / empfehlenswert es wäre besser, wenn …

90. Ersetzen Sie die unterstrichenen Ausdrücke durch Modalverben!

1. Sie <u>beabsichtigen</u>, ein Haus zu kaufen. → *Sie wollen ein Haus kaufen.*
2. Ich <u>hatte</u> nicht <u>vor</u>, euch bei der Arbeit zu stören.
   →
3. Ich <u>empfehle</u> Ihnen, mehr Obst zu essen.
   →
4. <u>Haben</u> Sie <u>die Erlaubnis</u>, das Labor zu betreten?
   →
5. <u>Es ist erforderlich</u>, jedes Jahr einen neuen Antrag zu stellen.
   →
6. Mit diesem Gerät <u>sind</u> die meisten Satelliten-Programme <u>zu</u> empfangen.
   →
7. Die Kommunen <u>haben</u> für eine ausreichende Zahl von Kindergartenplätzen <u>zu</u> sorgen.
   →
8. Wer <u>ist</u> heute noch <u>fähig</u>, eine Rede auf Lateinisch zu halten?
   →
9. Ich <u>vermag</u> nicht zu sagen, ob sie Erfolg gehabt hat.
   →
10. Nur Kindern unter 14 Jahren <u>ist</u> das Betreten des Spielplatzes <u>erlaubt</u>.
    →
11. Ursprünglich <u>hatte</u> sie <u>vor</u>, im Ausland zu studieren.
    →
12. <u>Es ist</u> nicht <u>verboten</u>, ein Wörterbuch zu benutzen.
    →
13. Ich <u>habe</u> nicht <u>die Absicht</u>, mein Studienfach zu wechseln.
    →
14. Wenn sich sonst niemand meldet, <u>bin</u> ich <u>bereit</u>, diese Aufgabe zu übernehmen.
    →
15. Der Staatssekretär <u>hatte den Auftrag</u>, Verhandlungen mit dem Ausland zu führen.
    →
16. <u>Es liegt</u> noch <u>keine Genehmigung</u> zur Veröffentlichung der Fotos <u>vor</u>.
    →
17. <u>Es ist unsere Pflicht</u>, anderen zu helfen.
    →
18. Für Schüler unter 18 Jahren <u>besteht</u> Rauch<u>verbot</u>.
    →
19. In einer so kurzen Zeit <u>lässt sich</u> eine endgültige Lösung sicher nicht finden.
    →
20. Der Safe <u>ist</u> nur mit Hilfe zweier Spezialschlüssel <u>zu</u> öffnen. →

* 91. *Übung zu Modalverben*

Niemand <u>ist verpflichtet</u>, in seinem Urlaub große Entfernungen zurückzulegen, aber offenbar haben die meisten Menschen das Bedürfnis, weite Reisen zu unternehmen; sie scheinen anzunehmen, dass es nicht möglich sei, sich in der näheren Umgebung richtig zu erholen. So setzen sich zum Beispiel viele Familien am ersten
5 Tag der Schulferien ins Auto, setzen sich in Richtung auf das ferne Urlaubsziel in Bewegung und setzen sich dabei dem Risiko aus, dass sie nach wenigen Kilometern Fahrt auf der Autobahn in einen Stau geraten. Für manche wäre es aber gar nicht notwendig, am ersten Ferientag zu starten; sie hätten auch die Möglichkeit, zwei oder drei Tage später aufzubrechen.

10 Familien mit Kindern, die beabsichtigen, vier oder fünf Wochen Urlaub zu machen, sind oft nicht in der Lage, eine feste Ferienunterkunft zu bezahlen. Darum fahren sie mit einem Wohnanhänger auf einen Campingplatz. Besonders die Kinder fühlen sich dort wohl, weil sie nicht dauernd gezwungen sind, sich ruhig zu verhalten, sondern Gelegenheit haben, mit anderen Kindern zu spielen, ungestört
15 und ohne den Erholung suchenden Erwachsenen auf die Nerven zu fallen.

Viele Campingplätze, vor allem die im Süden am Meer, sind aber schon Monate vor Saisonbeginn ausgebucht. Wenn man vorhat, die Ferien auf einem bestimmten Platz zu verbringen, ist es also ratsam, sich mindestens ein halbes Jahr im Voraus dort anzumelden. Auf manchen Campingplätzen ist es möglich, einen großen, komfortablen Wohnwagen, ein so genanntes *Mobile Home*, zu mieten; das bietet den
20 Vorteil, dass es nicht erforderlich ist, zu Hause einen Parkplatz für einen Campinganhänger zu haben. Vor allem hat man es dann auch nicht nötig, ihn mit dem Pkw viele Kilometer weit zu schleppen. Nicht jeder Autofahrer ist nämlich imstande, ein solches Gespann sicher über die Alpenpässe bis ans Mittelmeer zu steuern. Abgesehen davon ist es auf bestimmten Straßen in den Bergen gar nicht erlaubt,
25 mit Campinganhängern zu fahren; es empfiehlt sich also, vorher die Straßenkarte genau zu studieren!

Campinganhänger sind deutlich billiger zu mieten als Ferienappartements, obwohl es nach Auskunft der vermietenden Herstellerfirmen unumgänglich ist, dass sie nach durchschnittlich drei Jahren durch neue ersetzt werden, und zwar vor allem, weil die Firma die Verkehrssicherheit der Mietanhänger zu garantieren hat. Bei
30 diesem Geschäft ist also auf den ersten Blick nicht viel zu verdienen. Da aber viele der Mieter – man sagt, dass es über 20 % sind! – später den Wunsch haben, einen eigenen Wohnwagen zu besitzen, und ihn kaufen, kommen die Hersteller schließlich doch auf ihre Kosten.

a) *Unterstreichen Sie im Text alle Ausdrücke, die man durch ein Modalverb ersetzen kann!*
b) *Schreiben Sie den Text um, indem Sie die unterstrichenen Ausdrücke durch die entsprechenden Modalverben ersetzen!*
Niemand <u>muss</u> in seinem Urlaub große Entfernungen zurücklegen, aber ...

9.2 Subjektiver Gebrauch der Modalverben

Den Unterschied zwischen dem objektiven und subjektiven Gebrauch der Modalverben verdeutlichen die beiden folgenden Beispielsätze:

*Müllers haben ihr Haus verkaufen **müssen**.*
(Der Grund war, dass sie den Kredit nicht zurückzahlen konnten.)

Das Modalverb *müssen* bedeutet in diesem Satz NOTWENDIGKEIT / ZWANG:
objektiver Gebrauch.

*Müllers **müssen** ihr Haus verkauft haben.*
(Ich vermute das, weil dort jetzt andere Leute wohnen.)

Das Modalverb *müssen* bedeutet in diesem Satz VERMUTUNG:
subjektiver Gebrauch.

Beim subjektiven Gebrauch der Modalverben drückt der Sprecher seine persönliche (= subjektive) Meinung aus.

9.2.1 Äußerung einer Vermutung

• **über Gegenwärtiges:** *Modalverb + Infinitiv I**
Was macht eigentlich Manuela? Ich habe sie lange nicht gesehen. – Ich auch nicht, aber (ich meine),

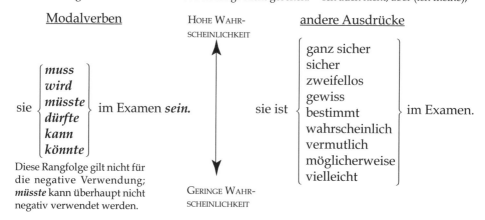

Diese Rangfolge gilt nicht für die negative Verwendung; *müsste* kann überhaupt nicht negativ verwendet werden.

• **über Vergangenes:** *Modalverb + Infinitiv II**
Was hat Maria wohl am Wochenende gemacht?
Sie *dürfte* wieder bei ihrer Schwester *gewesen sein.*
Sie *werden* gemeinsam Freunde *besucht haben;*
sie *können* aber auch einfach *spazieren gegangen sein.*

Andere Möglichkeiten zum Ausdruck von Vermutungen:
Es ist sicher / ich bin sicher / ich halte es für sicher (wahrscheinlich / möglich) / ich vermute, ...

* Näheres zu den Infinitiven s. Nr. 15

9.2.2 Wiedergabe einer nicht überprüften Information bzw. eines Gerüchts

- **über Gegenwärtiges:**   *sollen + Infinitiv I*
  Was erzählt man sich über Frau Meier?
  Frau Meier *soll* einen Konzertflügel **besitzen;**
  Sie *soll* aber gar nicht Klavier **spielen können.**
  Am 30. Mai *soll* die Welt **untergehen.** Jedenfalls behauptet das ein Sektenguru. (Zukunft!)

- **über Vergangenes:**   *sollen + Infinitiv II*
  Man hört viel Negatives über den zurückgetretenen Minister!
  Er *soll* Geld von der Rüstungsindustrie **bekommen haben;**
  auch von Baufirmen *soll* er **bestochen worden sein.**
  Auch seine Mitarbeiter *sollen* korrupt **gewesen sein.**

Andere Möglichkeiten, eine nicht überprüfte Information weiterzugeben:
Man erzählt sich / sagt / behauptet / hört, dass ...; es heißt / wird behauptet / gesagt,
dass ...; angeblich ...

9.2.3 Wiedergabe einer (angezweifelten) Behauptung, die jemand über sich selbst aufstellt.

- **über Gegenwärtiges:**   *wollen + Infinitiv I*
  Vieles von dem, was Kostas von sich behauptet, stimmt nicht.
  Kostas *will* **krank** *sein*, aber er spielt den ganzen Tag Tennis.
  Er *will* Deutsch perfekt **können,** versteht aber nicht einmal den Wetterbericht.

- **über Vergangenes:**   *wollen + Infinitiv II*
  Was die Taxifahrerin in der Gerichtsverhandlung behauptet, ist wenig glaubhaft!
  Die Taxifahrerin *will* die Ampel an der Kreuzung nicht **gesehen haben;**
  sie *will* von der Sonne **geblendet gewesen sein.**
  Außerdem *will* sie durch Fragen des Fahrgasts **abgelenkt worden sein.**

Andere Möglichkeiten, eine angezweifelte Behauptung eines anderen über sich selbst
wiederzugeben:
Jemand behauptet / sagt (von sich selbst) / gibt vor, dass ...

92. *Formulieren Sie um!*

Der koreanische Austauschstudent Moonho Kim stellt an einem Montag gegen neun Uhr in Münster Vermutungen darüber an, was gerade jetzt an seiner Heimatuniversität in Seoul los ist. Er könnte diese Vermutungen auch mit Hilfe eines Modalverbs äußern.

1. Ich bin sicher, dass auf dem Uni-Campus noch viel Betrieb ist.
   → *Auf dem Uni-Campus wird noch viel Betrieb sein.*
2. Ich vermute, dass einige meiner Freunde Fußball spielen.
   →
3. Die fleißige Sunkyung Lee arbeitet sehr wahrscheinlich noch in der Bibliothek.
   →
4. Die Big-Band-Mitglieder üben möglicherweise für das Abschlusskonzert.
   →

Andere Vermutungen:
5. Ich halte es für unmöglich, dass Jochen gestern Abend hier angerufen hat.
   → *Jochen …*
6. Der Dieb ist sehr wahrscheinlich durch die Balkontür ins Haus gekommen.
   → *Der Dieb …*
7. Ich bin sicher, dass die Balkontür nicht abgeschlossen war.
   → *Die Balkontür …*
8. Ich halte es für möglich, dass der Brand durch einen Kurzschluss verursacht wurde.
   → *Der Brand …*

93. *Formulieren Sie um!*

Über einen Mann, der in unserem Haus wohnt, gehen Gerüchte um. Es wird viel Abenteuerliches erzählt. Das meiste stimmt hoffentlich nicht. Ich habe schon folgende Aussagen gehört:

1. „Er hat zwei Frauen."
   → *Er soll zwei Frauen haben.*
2. „Er verdient viel Geld durch Betrügereien."
   →
3. „Er wird von der Polizei observiert."
   →
4. „Er war früher Mitglied einer Geldfälscher-Bande."
   →
5. „Damals hatte er immer eine Waffe bei sich."
   →
6. „Er wurde bei einer Schießerei am Kopf verletzt."
   →
7. „Nach der Verletzung war er längere Zeit arbeitsunfähig." →

94. Formulieren Sie um!

Unser neuer Kollege ist ein großer Angeber. Fast alles, was er von sich erzählt, ist frei erfunden. Ich glaube ihm nichts. So behauptet er z. B.:

1. „Ich kann fließend Japanisch."
   → *Er will fließend Japanisch können.*
2. „Ich habe an der besten japanischen Universität studiert."
   →
3. „Ich bin vom japanischen Kaiser zum Tee eingeladen worden."
   →
4. „Ich bin einmal mit dem Papst Ski gelaufen."
   →
5. „Ich bin der beste Schachspieler in unserer Stadt."
   →
6. „Ich kann gleichzeitig gegen zehn Gegner spielen und alle Partien gewinnen."
   →

95. Sagen Sie dasselbe noch einmal und benutzen Sie dabei ein Modalverb!

1. Ich bin ganz sicher, dass mein Bruder jetzt schon in München ist.
   → *Mein Bruder …*
2. Ich habe gehört, dass Meiers in den Ferien in Schweden waren.
   → *Meiers …*
3. Ich nehme an, dass Maria die Prüfung bestanden hat.
   →
4. Der Angeklagte gibt vor, dass er gar nicht Auto fahren kann.
   →
5. Ich vermute, dass die Ampel inzwischen repariert wurde.
   →
6. Es heißt, dass Peter sehr krank ist.
   →
7. Unser Hausmeister behauptet, dass er gestern Abend nicht zu Hause war.
   →
8. Ich halte es für ausgeschlossen, dass Miriams neues Auto ein Gebrauchtwagen ist.
   →
9. Ich bin sicher, dass unsere Kinder den Film sehen wollen.
   →
10. Es heißt, dass bei der Notlandung alle Passagiere unverletzt geblieben sind.
    →
11. Vielleicht hat Eva ihren Mann während des Studiums kennen gelernt.
    →

12. Er behauptet, dass er benachteiligt wurde.

    →

13. Ich nehme an, dass Evas Eltern über ihre Pläne informiert waren.

    →

14. Angeblich waren mehrere Minister des Kabinetts Marinelli Mitglieder der Mafia.

    →

15. Man sagt, dass die Journalistin von der Mafia erpresst wurde.

    →

16. Die Studentin behauptet, dass sie den Prüfungstermin vergessen hat.

    →

17. Ich befürchte, dass der Krieg noch lange dauert.

    →

18. Möglicherweise war das Fenster heute Nacht offen.

    →

* **96.** *Schreiben Sie den nach einem Erdbeben in der Türkei erschienenen Zeitungskommentar um und ersetzen Sie die unterstrichenen Modalverben durch gleichbedeutende Ausdrücke!*

Wenn nach den Gründen für den Tod so vieler Menschen gefragt wird, dürfte man sich auch für die Rolle der Bauunternehmer in dieser Tragödie interessieren. Es muss Fahrlässigkeit oder sogar kriminelles Verhalten gegeben haben, denn sonst würden nicht im gleichen Ort zusammengestürzte neben unbeschädigten Häu-
5 sern stehen. Mancher Bauunternehmer wird aus Profitgier allzu billig und schlecht gebaut haben.

Man hört die unterschiedlichsten Vorwürfe: Die Bauunternehmer sollen sich nicht an die Bauvorschriften gehalten haben. Die Einhaltung der Bauvorschriften soll auch nicht streng genug kontrolliert worden sein. Viele Häuser sollen sogar ohne
10 Genehmigung gebaut worden sein.

Die beschuldigten Bauunternehmer weisen die Schuld natürlich von sich. Sie wollen sich an die Baunormen gehalten haben. Sie wollen nicht aus Profitgier am Material gespart haben. Manchmal nehmen die Entschuldigungsversuche komische Formen an: Ein Istanbuler Baulöwe will von niemandem darüber informiert
15 worden sein, dass man für Beton keinen Meeressand verwenden darf; er will auch gar kein Bauunternehmer sein, sondern Schriftsteller, woraufhin der Türkische Schriftstellerverband erklärt, dass ein solcher Betrüger unmöglich ein Literat sein kann.

Die Sünden der Bauunternehmer und das Versagen der Baubehörden müssten
20 offen gelegt werden. Dann dürfte sich einiges ändern, und die Zahl der Erdbebenopfer könnte in der Zukunft etwas geringer sein.

Wenn nach den Gründen für den Tod so vieler Menschen gefragt wird, ist es sehr wahrscheinlich, dass ...

9.3 Modalitätsverben

Die Soldaten *haben* pünktlich um 22 Uhr in der Kaserne *zu sein.*
Die erste Auflage des Buches *ist* nicht mehr *zu bekommen.*
Franzosen und Engländer *pflegen* abends warm *zu essen.*
Er saß mit geschlossenen Augen da; er *schien zu schlafen.*
Ich *weigere mich,* früh um fünf Uhr *aufzustehen.*

> Die Verben *haben, sein, pflegen, scheinen, sich weigern* und einige andere in Verbindung mit *zu* + *Infinitiv* „modifizieren" (= verändern) die Bedeutung des Hauptverbs, d. h. des Infinitivs, in ähnlicher Weise wie die Modalverben.

97. *Ersetzen Sie die Modalitätsverben „haben" und „sein" durch Modalverben!*

1. Er sprach so leise, dass er kaum zu verstehen war.
   → *Er sprach so leise, dass er kaum verstanden werden konnte.*
   ..., dass man ihn kaum verstehen konnte.
2. Bis wann haben sich die Kandidaten beim Prüfungsamt zu melden?

   →
3. Die hohen Produktionskosten sind offensichtlich nicht nur auf die steigenden Ölpreise zurückzuführen.

   →
4. Er hat außer seinen Kindern aus erster Ehe auch die aus der zweiten zu versorgen.

   →
5. Sein seltsames Verhalten ist durch nichts zu erklären.

   →
6. Alle Beschäftigten haben die Sicherheitsvorschriften genauestens einzuhalten.

   →
7. Es war leider nicht zu vermeiden, dass elf Pakete beim Transport beschädigt wurden.

   →
8. Im Brandfall sind die Feuerschutztüren sofort zu schließen.

   →
9. Die ausgeliehenen Bücher sind innerhalb einer Woche zurückzugeben.

   →
10. Bei diesem Thema wären noch viele andere Gesichtspunkte zu berücksichtigen.

    →
11. Die Grenze zwischen den beiden Ländern ist nur schwer zu überwachen.

    →

Häufig gebrauchte Wendungen mit Modalitätsverben:

Ich habe nichts mehr zu sagen.   Es ist (nicht) zu hoffen, dass ...
Er hat zu Hause nichts zu sagen.   Es ist (nicht) zu befürchten, dass ...
Sie haben hier nichts zu suchen!   Es ist (nicht) anzunehmen, dass ...
Das hat nichts zu sagen / zu bedeuten. Das ist ja nicht zu fassen! / Das ist doch nicht zu glauben!

10 Passiv

Es gibt im Deutschen zwei verschiedene Formen von Passivprädikaten:
werden-Passiv und *sein*-Passiv.

10.1 *werden*-Passiv

10.1.1 Formen

Ein neues Kino	*wird*	*eröffnet*		PRÄSENS
	wurde	*eröffnet*		PRÄTERITUM
	ist	*eröffnet*	*worden*	PERFEKT
	war	*eröffnet*	*worden*	PLUSQUAMPERFEKT
	wird	*eröffnet*	*werden*	FUTUR I
	wird	*eröffnet*	*worden sein*	FUTUR II

Der Text	*muss*	*geändert werden*		PRÄSENS
	musste	*geändert werden*		PRÄTERITUM
	hat	*geändert werden*	*müssen*	PERFEKT
	hatte	*geändert werden*	*müssen*	PLUSQUAMPERFEKT
	wird	*geändert werden*	*müssen*	FUTUR I
		(ungebräuchlich)		FUTUR II

10.1.2 Verwendung

In einem Passivsatz sind **Subjekt** und <u>Täter</u> verschieden:	Im entsprechenden Aktivsatz sind **Subjekt** und <u>Täter</u> identisch:
Der Motor *wird* <u>*von einem Mechaniker*</u> *repariert.*	<u>**Ein Mechaniker**</u> *repariert den Motor.*

Passivsätze ohne Nennung des Täters

Amerika ist 1492 (~~von Kolumbus~~) entdeckt worden.

In einem Passivsatz ist die Nennung des Täters grammatisch nicht notwendig.
Daher verwendet man das Passiv vor allem dann,

1.	wenn der Täter nicht bekannt ist:	*Das Auto ist gestohlen worden.*
2.	wenn man den Täter nicht nennen will:	*Ihr Antrag wurde abgelehnt.*
3.	wenn es keine Rolle spielt, wer der Täter ist:	*Im Labor darf nicht geraucht werden.*

Passivsätze ohne Subjekt

Wenn es im Aktivsatz keine Akkusativ-Ergänzung gibt, hat der entsprechende Passivsatz kein Subjekt. Das Prädikat steht in der 3. Pers. Sg. (**subjektloses Passiv**).
(s. Clamer / Heilmann: Übungsgrammatik für die Grundstufe, Nr. 1.8.3)

Wir diskutierten lange darüber.

→ *Lange wurde (von uns) darüber diskutiert.* → *Es wurde lange darüber diskutiert.*

Einschränkungen bei der Bildung des *werden*-Passivs

Man kann **keinen** Passivsatz bilden,

(1) wenn das Verb das Perfekt mit *sein* bildet.*

(2) wenn das Verb reflexiv gebraucht wird.

(3) wenn das Subjekt im Aktivsatz die einzige Ergänzung ist.**

(4) wenn das Subjekt im entsprechenden Aktivsatz nicht „Täter" ist, d. h. nicht aktiv Handelnder.

(5) wenn die Akkusativ-Ergänzung im Aktivsatz einen Körperteil des Subjekts bezeichnet.

Die folgenden Sätze können daher **nicht** in Passivsätze umgeformt werden:

Heute Morgen bin ich um 7 Uhr aufgewacht. (1), (4)
Kaum hatte ich die Augen aufgemacht (5), *da bekam ich ein Fax.*(4)
Ich habe schnell gefrühstückt. (3)
Dann habe ich mir noch die Zähne geputzt. (2), (5)
Ich kam zu spät zur Bushaltestelle. (1)
Das Taxi hat 16 Euro gekostet. (4)
Ich habe mich natürlich geärgert. (2)

 * Wenige Ausnahmen, z. B.: *In Japan wird links gefahren. / Auf diese Frage wird später eingegangen.*
 ** Ausnahme: Wenn das Subjekt *man* im Aktivsatz die einzige Ergänzung ist, kann ein Passivsatz gebildet werden:
    Früher arbeitete man bis zu 16 Stunden täglich. → *Früher wurde bis zu 16 Stunden täglich gearbeitet.*
    Im Flugzeug darf man nicht rauchen. → *Im Flugzeug darf nicht geraucht werden.*

98. *Bilden Sie Passivsätze!*

1. Gesetzlich geschützte Tiere dürfen Touristen nicht importieren.

    →

2. In der Konferenz hatte man lange über diesen Zeitungsartikel diskutiert.

    →

3. Dieses Wörterbuch werden sie sicher niemals benutzen.

    →

4. Der Staat muss den Arbeitslosen helfen.

    →

5. Jeder hat die Prüfung machen müssen.

    →

6. Hatte die Presse auf diese Veranstaltung hingewiesen?

    →

7. Die Einschreibfristen an den Universitäten müssen alle beachten.

    →

8. Er hätte den großen Lastwagen nicht fahren dürfen.

→

9. Mein Vermieter hat mich auf die Kündigungsfrist aufmerksam gemacht.

→

10. Auf der Straße muss man rechts fahren.

→

11. Man muss Fehler erkennen, bevor man sie korrigieren kann.

→

12. Das Wetter kann man immer noch nicht exakt vorhersagen.

→

13. Diese wichtigen Probleme hat man noch nicht lösen können.

→

14. Mit den Vorbereitungen zum Fest begann man schon frühzeitig.

→

99. *Formen Sie die Sätze ins Aktiv bzw. ins Passiv um, wenn es möglich ist!*

1. Seit einer Woche hat ihn niemand gesehen.

→

2. Die Preisdifferenz betrug 8 %.

→

3. Die ausländischen Studierenden werden von den Mitarbeitern des Akademischen Auslandsamts beraten.

→

4. Mäntel und Taschen haben an der Garderobe abgegeben werden müssen.

→

5. Bei plötzlichem Wetterwechsel bekomme ich Kopfschmerzen.

→

6. Den Bauern ist dieses Jahr bei der Spargelernte nicht geholfen worden.

→

7. Man weiß nicht genau, wer das Papier erfunden hat.

→

8. Der Regierung ist mit diesem Bericht geschadet worden.

→

9. Falls der Verlag eine Neuauflage des Buches plant, sollten vorher die Druckfehler korrigiert werden!

→

10. Darf man hier rauchen?

→

11. Dem Minister ist von niemandem widersprochen worden.

 →

12. Das Dokument konnte nicht wiedergefunden werden.

 →

13. Hätte man die Studierenden nicht besser informieren müssen?

 →

14. Diese Übungen enthalten viele Schwierigkeiten.

 →

15. Haben die Leute auf dem Marktplatz vom Kirchturm durch das Fernrohr deutlich erkannt werden können?

 →

* **100.** *Formen Sie den folgenden Text um, indem Sie Passivsätze bilden, wo es möglich ist!*

Durch die Umformung ergibt sich eine sprachliche Form, die besser zum Inhalt des Textes passt, denn in Beschreibungen technischer Vorgänge, in naturwissenschaftlichen Protokollen und ähnlichen Textsorten stehen die Prädikate meistens im Passiv.

Abwasserreinigung

Man leitet die Abwässer einer Stadt in eine Kläranlage, wo die Reinigung in drei Stufen erfolgt. In der ersten, der mechanischen Reinigungsstufe, säubern Gitterstäbe und Siebe das Abwasser von gröberen Verunreinigungen. Tuben, Dosen und Kunststoffabfälle fischt man hier heraus und lagert sie später auf einer Mülldeponie.

5 In einem Abscheider trennt man Benzin, Öle und Fette ab, damit nicht ein Film dieser Stoffe auf der Wasseroberfläche die Sauerstoffaufnahme behindert. Danach leitet man das Wasser in Absetzbecken, wo man die noch übrig gebliebenen schwimmenden Substanzen abschöpft und schwere Stoffe sich absetzen. Diesen Bodensatz bezeichnet man als Faulschlamm.

10 Nun ist die mechanische Reinigung abgeschlossen. Zum biologischen Abbau der organischen Anteile des Faulschlamms pumpt man ihn in einen Faulturm, wo eine bakterielle Methan-Gärung stattfindet. Dabei erhitzt sich der Faulschlamm bis auf 70 °C. Auf diese Weise tötet man Krankheitserreger ab. Das Methan kann man zu Heizzwecken, den bei der Gärung anfallenden Klärschlamm als Düngemittel in

15 der Landwirtschaft verwenden. Wenn er jedoch mit Schwermetallen belastet ist, muss man ihn einer Sondermülldeponie zuführen.

Bis hierher hat man dem Abwasser schon die meisten Verunreinigungen entzogen. In modernen Anlagen schließt man an die mechanische und die biologische Klärstufe noch eine chemische an. Dabei fällt man unter anderem aus Waschmitteln

20 stammende Phosphate aus, die sonst das gereinigte Abwasser überdüngen und das „Umkippen" von Flüssen und Seen verursachen würden.

Die Abwässer einer Stadt werden in eine Kläranlage geleitet, wo die Reinigung in drei Stufen erfolgt. …

101. *Finden Sie gleichbedeutende Umschreibungen für modale Passiv-Formen!*

1. Dieser Text kann leicht übersetzt werden.
   - → *Diesen Text kann man leicht übersetzen.*
   - → *Dieser Text ist leicht zu übersetzen.*
   - → *Dieser Text lässt sich leicht übersetzen.*
   - → *Dieser Text ist leicht übersetzbar.* (Vorsicht: Adjektive auf „-bar" können nicht von jedem Verb gebildet werden!)
2. Die Aufgabe konnte nicht gelöst werden.
   - →
   - →
   - →

   - →

3. Die Richtigkeit seiner Angaben könnte mühelos überprüft werden.
   - →
   - →
   - →

   - →

4. Autos mit Lackschäden können nur schwer verkauft werden.
   - →
   - →
   - →

   - →   *(verkäuflich!)*
5. Viele Unfälle können auf überhöhte Geschwindigkeit zurückgeführt werden.
   - →
   - →
   - →

   - →

6. Diese Forderung kann politisch nicht durchgesetzt werden.
   - →
   - →
   - →

   - →

7. Farbloses Glas kann problemlos recycelt werden.
   - →
   - →
   - →

   - →

10.2 *sein*-Passiv

10.2.1 Formen

Die Tür	ist	geschlossen		Präsens	
	war	geschlossen		Präteritum	
	ist	geschlossen	gewesen	Perfekt	
	war	geschlossen	gewesen	Plusquamperfekt	⎫ Diese Tem-
	wird	geschlossen	sein	Futur I	⎬ pusformen
	wird	geschlossen	gewesen sein	Futur II	⎭ sind selten.

Die Tür	muss	geschlossen	sein	Präsens
	musste	geschlossen	sein	Präteritum

Andere Tempusformen sind ungebräuchlich

10.2.2 Verwendung

Die Tür ist geschlossen   ← Die Tür ist geschlossen worden.
Jemand hat die Tür geschlossen.

Die Tür war geschlossen.   ← Die Tür war geschlossen worden.
Jemand hatte die Tür geschlossen.

- Das *sein*-Passiv beschreibt im Gegensatz zum *werden*-Passiv einen Zustand, der das Resultat eines abgeschlossenen Vorgangs oder einer abgeschlossenen Handlung ist. Darum gilt meistens:
  sein-Passiv im Präsens   ← *werden*-Passiv bzw. Aktiv im Präteritum / Perfekt
  sein-Passiv im Präteritum ← *werden*-Passiv bzw. Aktiv im Plusquamperfekt
- Das *sein*-Passiv gibt es nur bei Verben, die auch das *werden*-Passiv bilden können.
- Nur in Ausnahmefällen wird ein Täter erwähnt.
- Das Partizip II hat oft den Charakter eines Adjektivs (*geöffnet* = offen; *beschädigt* = kaputt; usw.).

102. Übung zum „sein"-Passiv

Das Haus der Familie Hoppenstedt ist 30 Jahre alt. Es wird zur Zeit renoviert. Ein Kollege fragt Herrn Hoppenstedt nach dem Fortgang der Arbeiten. Dieser antwortet im *sein*-Passiv.

1. Müssen die Außenwände noch gestrichen werden?
   → *Nein, die sind schon gestrichen.*
2. Müssen die losen Dachpfannen noch befestigt werden?
   → *Nein, …*
3. Muss der Schornstein noch verkleidet werden?
   → *Nein, …*
4. Müssen Sie die Satellitenschüssel noch montieren?
   → *Nein, …*

5. Haben Sie die Haustür schon ausgewechselt?

→ *Nein, ...*

6. Haben Sie die Fenster schon erneuert?

→ *Ja, ...*

7. Muss der Teppichboden noch ausgetauscht werden?

→ *Ja, leider ...*

8. Werden Sie die Wände noch tapezieren müssen?

→ *Ja leider, ...*

103. *Beschreiben Sie den eingetretenen Zustand mit dem „sein"-Passiv!*

1. Der Sturm hat viele Zweige abgebrochen.
   → *Viele Zweige sind abgebrochen.*
2. Der Direktor hat mein Zeugnis unterschrieben.

   →

3. Nina hat ihren karierten Rock gebügelt.

   →

4. Die Kinder haben unseren alten Wagen gewaschen.

   →

5. Das Parlament hat die neuen Steuergesetze beschlossen.

   →

6. Die medizinisch-technische Assistentin (MTA) hat die Blutproben untersucht.

   →

7. Ich habe den Fernseher in der letzten Woche angemeldet.

   →

8. Jemand hat die Dokumente bereits kopiert.

   →

9. Die Kundin hatte die Waren noch nicht bezahlt.

   →

10. Nach dem 2. Weltkrieg hatten die Siegermächte Deutschland geteilt.

    →

11. Ein Glassplitter hatte den Busfahrer an der Hand verletzt.

    →

104. *„werden"-Passiv? „sein"-Passiv? Adjektiv-Prädikat?*
   Setzen Sie die passenden Verbformen ein!

 1. Von einem jungen Paar __*wird*__ eine Dreizimmerwohnung gesucht.
 2. Sie kommen zu spät! Die Wohnung _____ schon vermietet.
 3. Ich hoffe, dass die Wohnung über uns nicht wieder an Leute mit Hunden vermie-
    tet _____.
 4. Die Straße kann wieder zweispurig befahren _____, weil die Bauarbeiten
    seit dem letzten Montag abgeschlossen _____.
 5. Eine Rakete, die von Baikonur abgeschossen _____, hat ein Raumschiff
    in die Erdumlaufbahn gebracht.
 6. Eine Kollegin, die bei allen sehr beliebt _____, ist in den Ruhestand getreten.
 7. Unsere Großmutter, die von allen Enkeln sehr geliebt _____, weiß gar
    nicht, welchem Enkel sie sich als nächstem widmen soll.
 8. Wegen des Fluglotsenstreiks _____ alle Flüge nach Nizza gestrichen.
 9. Warum hast du direkt vor der Feuerwehr geparkt, obwohl du doch weißt, dass
    das streng verboten _____?
10. Als die Besatzung der Bounty die Insel Pitcairn fand, _____ sie noch unbe-
    wohnt.
11. Dieses kleine Haus _____ von vier Familien bewohnt.
12. Wo _____ die BILD-Zeitung gedruckt?
13. Holen Sie mich hier heraus! Ich _____ im Aufzug eingeschlossen!
14. Für die Neuauflage des Buches musste ein Kapitel neu geschrieben _____.
15. Wir sind früh schlafen gegangen, weil wir von der langen Reise sehr erschöpft
    _____.

11. Nominalisierung von Verbalformen

Verbalstil → **Nominalstil**

Es ist riskant, *die Verkehrsregeln zu übertreten.*	→ *Die Übertretung der Verkehrsregeln* ist riskant.
Otto hatte für das Wochenende geplant, *mit seiner Freundin an die Ostsee zu fahren.*	→ Otto hatte für das Wochenende *eine Fahrt mit seiner Freundin an die Ostsee* geplant.
An der ersten Kreuzung bog er ab, *ohne ein Stoppschild zu beachten.*	→ An der ersten Kreuzung bog er *unter Nichtbeachtung eines Stoppschilds* ab.
Obwohl er sehr langsam gefahren war, hielt ihn eine Polizeistreife an.	→ *Trotz seines sehr langsamen Fahrens* hielt ihn eine Polizeistreife an.
Es ist sicher, *dass er ein hohes Bußgeld zahlen muss.*	(Eine akzeptable Nominalisierung ist hier nicht möglich.)

Bei der Nominalisierung eines Nebensatzes kommt es zunächst darauf an, ein Nomen zu finden, das der Bedeutung des Prädikatsverbs bzw. -adjektivs entspricht.

11.1 Formen der Nominalisierung:

(1) Nominalisierung von Verben

a)	suchen	→	*die Suche*	⎫
	besuchen	→	*der Besuch*	⎬ **lexikalisierte Nomen**
	studieren	→	*das Studium*	⎭
b)	vorbereiten	→	*die Vorbereitung*	⎫
	sich beschäftigen	→	*die Beschäftigung*	⎬ **Nomen auf -*ung***
	entwickeln	→	*die Entwicklung*	⎭
c)	essen	→	*das Essen*	⎫
	sich ausruhen	→	*das Ausruhen*	⎬ **nominalisierte Infinitive**
	ausfüllen	→	*das Ausfüllen*	⎭

(2) Nominalisierung von Adjektivprädikaten

stolz sein	→	*der Stolz*	
hart sein	→	*die Härte*	
betrunken sein	→	*die Trunkenheit*	
krank werden	→	*die Erkrankung*	

(3) Nominalisierung von Funktionsverbgefügen

Abschied nehmen	→	*der Abschied*
Stellung nehmen	→	*die Stellungnahme*
in Frage stellen	→	*das Infragestellen / die Infragestellung*

Bei der Nominalisierung von Prädikat + Ergänzungen bzw. Angaben ist zu beachten:
- Akkusativ-Ergänzung → Genitivattribut   (Ausnahme s. Nr. 12 Anm.)
- Übrige Ergänzungen (z. B. Dativ- Erg.) und Angaben → Präpositionalattribut

In vielen Fällen ist aber eine Nominalisierung nicht möglich, z. B. wenn es eine zu große Zahl von Satzgliedern oder ein Modalverb gibt.

105. *Formen Sie um!*

(Er / Sie / Man) repariert das Fahrrad.   → *die Reparatur des Fahrrads*
            nahm an der Tagung teil.   → *die Teilnahme an der Tagung*

1. verfilmte den Roman.   →
2. übersetzte den Text.   →
3. arbeitet in der Fabrik.   →
4. besuchte einen Sprachkurs.   →
5. half seiner Freundin.   →
6. studiert Medizin.   →
7. erforschte die Antarktis.   →
8. reiste nach Japan.   →
9. hat ihre Gäste begrüßt.   →
10. unterhielt sich mit ihren Freunden.   →
11. ist bereit zu zahlen.   →
12. wird dem Gesetz zustimmen.   →
13. erfand die Dampfmaschine.   →
14. arbeitet mit seinen Kollegen zusammen. →
15. experimentiert mit Bakterien.   →
16. stellt teure Uhren her.   →
17. fuhr nach Australien.   →
18. freute sich über das Geschenk.   →
19. beschäftigte sich mit Astrologie.   →
20. traf Vorbereitungen für die Party.   →
21. schadete seiner Gesundheit.   →
22. ist misstrauisch gegenüber Männern.   →
23. verbesserte das Resultat.   →
24. ist abhängig von Drogen.   →
25. behandelte den Tagesordnungspunkt.   →
26. hatte ein neues Konzept entwickelt.   →
27. kämpfte mit dem Drachen.   →
28. war neugierig auf die Fortsetzung.   →
29. ist sehr alt.   →
30. ist berechtigt, den Doktortitel zu führen. →

11.2 Komplexe Nominalisierungen

(1)   Man untersucht die Frau. ⎫
      Die Frau wird untersucht. ⎭   → *die Untersuchung der Frau*

      Der Chefarzt untersucht die Frau gründlich. ⎫ → *die gründliche Untersuchung*
      Die Frau wird **vom** Chefarzt gründlich untersucht. ⎭   *der Frau **durch** den Chefarzt*

(2)   Alle Schüler nahmen **an** der Prüfung teil. → *die Teilnahme aller Schüler **an** der Prüfung*

(3)   Man schadet **der** Gesundheit. ⎫
      Der Gesundheit wird geschadet. ⎭   → *der Schaden **für** die Gesundheit*

(4)   Man produziert moderne Autos.   → *die Produktion moderner Autos*
      Man produziert Autos.   → *die Produktion **von** Autos*

(1)   Die „Täter"-Nennung geschieht bei der Verbalform meistens mit der Präposition *von,* bei der Nominalform mit der Präposition ***durch.***

(2)   Zuerst kommt das Genitivattribut, dann das Präpositionalattribut (und danach ggf. Attributsätze).

(3)   Der Dativ-Ergänzung bei der Verbalform entspricht bei der Nominalform ein Präpositionalattribut (***für, zu,*** u. a.).

(4)   Wenn ein Genitiv ohne Artikel vorliegt und dieser Genitiv weder an der Endung des Nomens noch an der Endung des Attributs zu erkennen ist, benutzt man die Ersatzform ***von + D.***

106.   *Formen Sie um!*

1. Die Glühbirne wurde erfunden.
   → *Die Erfindung der Glühbirne …*
2. Edison erfand die Glühbirne.
   →
3. Die Ingenieure von Ford entwickeln ein neues Modell.
   →
4. Die UNESCO kämpft gegen den Analphabetismus.
   →
5. Die moderne Medizin bekämpft die Infektionskrankheiten.
   →
6. Probleme sind aufgetreten.
   →
7. Die Probleme wurden von dem Techniker gelöst.
   →
8. Über die Konferenz ist ausführlich berichtet worden.
   →

9. Man bearbeitet eine Aufgabe.

→

10. Sie hat ihr Studium erfolgreich abgeschlossen.

→

11. Der AStA hilft ausländischen Studierenden.

→

12. Man nutzt alternative Energiequellen.

→

13. Man erlebt eine interessante Reise.

→

14. Es werden energiesparende Geräte produziert.

→

15. Der Referent erklärt den Sachverhalt genau.

→

16. Diese Fragen sind geklärt worden.

→

17. Es kommen häufig Erdbeben vor.

→

18. Alle Funktionen wurden überprüft.

→

19. Pestizide werden übermäßig eingesetzt.

→

20. Der Grundwasserspiegel sinkt kontinuierlich.

→

21. Man beachtet die ökologischen Folgen zu wenig.

→

22. Von Fachleuten werden umweltfreundlichere Produktionsverfahren entwickelt.

→

23. Die Wetterdaten werden halbstündlich aktualisiert.

→

24. Die Behörde hat den Antrag erneut abgelehnt.

→

25. Der Antragsteller erhob Einspruch gegen die Ablehnung.

→

26. Die Gebühr wurde auf 20 € festgesetzt.

→

12 Rektion der Nomen

an_D

Angebot*	Das Angebot an Dienstleistungen hat deutlich zugenommen.
Anteil	Der Anteil der Ausländer an der Gesamtbevölkerung beträgt 8,3 %.
Arbeit	Die Arbeit an dem neuen Roman macht keine Fortschritte.
Bedarf	Mit wachsendem Lebensstandard nimmt der Bedarf an Energie zu.
Freude (→ über)	Ihre Freude am Musizieren ist offensichtlich.
Interesse	Das Interesse an religiösen Fragen ist in Europa zurückgegangen.
Kritik*	Die Kritik an meinen Ausführungen muss ich zurückweisen.
Mangel	Der Mangel an Wasser macht das Leben in der Wüste schwierig.
Teilnahme	Die Schweiz hat ihre Teilnahme an den Wettkämpfen abgesagt.
Verbrauch*	Wir müssen den Verbrauch an fossilen Brennstoffen reduzieren.
Vorrat	Unser Vorrat an Lebensmitteln reicht nur noch für fünf Tage.
Zweifel	Meine Zweifel an der Wahrheit ihrer Behauptungen waren begründet.

an_A

Appell	Der Appell an die Gefühle der Bevölkerung hat dem Politiker geholfen, die Wahl zu gewinnen.
Erinnerung	Meine Erinnerung an die Grundschulzeit ist nur schwach.
Gedanke	Der Gedanke an die baldige Rückkehr in ihre Heimat macht sie froh.
Glaube	Mein Glaube an die menschliche Vernunft ist erschüttert.
Mitteilung (→ über)	Die Mitteilung an alle Mitarbeiter enthielt wichtige Informationen.
Übergabe	Die Übergabe der Dokumente an den Empfänger muss durch Unterschrift bestätigt werden.

auf_A

Angriff* (→ gegen)	Angriffe großer Staaten auf kleine Länder dürfen nicht länger toleriert werden.
Antwort	Die Antwort auf Ihre Frage ist nicht einfach.
Beschränkung	Innerhalb geschlossener Ortschaften gilt eine Beschränkung der Geschwindigkeit auf 50 km/h.
Druck	Der Druck auf die korrupte Politikerin hat zugenommen.
Hinweis	Wir geben Ihnen Hinweise auf das weitere Programm.
Hoffnung	Die Schiffbrüchigen hatten die Hoffnung auf Rettung nie aufgegeben.
Lust (→ zu)	Ich hätte jetzt Lust auf ein kaltes Bier.
Reaktion	Die Reaktion des Publikums auf den Vortrag war positiv.
Recht	Das Recht auf Selbstbestimmung darf keinem Volk verweigert werden.
Verdacht (→ gegen)	Sie wurde mit Verdacht auf Cholera ins Krankenhaus eingeliefert.
Vertrauen (→ zu)	Mein Vertrauen auf seine Unterstützung ist nicht enttäuscht worden.
Verzicht	Der Verzicht auf die schon lange geplante Reise fällt mir schwer.
Vorfreude	Die Vorfreude auf die Ferien ist bei allen groß.

bei

Besuch*	Mein Besuch bei Herrn Wagner dauerte über eine Stunde.
Hilfe (→ für)	Ich danke Ihnen für Ihre Hilfe bei meiner Bewerbung.

für

Entscheidung (→ gegen / über)	Die Entscheidung für das neue Computersystem ist bereits gefallen.
Grund	Worin liegen die Gründe für die rasante Entwicklung im Telekommunikationsbereich?
Hilfe (→ bei)	Viele engagieren sich für das Projekt „Hilfe für die Dritte Welt".
Kampf (→ gegen)	Der Kampf für soziale Gerechtigkeit muss weitergehen.

Nutzen	Für die Einwohner Dubais ist der Nutzen einer Zentralheizung gering.
Preis	Die Preise für Neuwagen sind leicht gestiegen.
Schaden	Der Schaden für die Umwelt ist nach dieser Katastrophe noch nicht abzusehen.
Verantwortung	Für die Sicherheit der Passagiere trägt der Pilot die Verantwortung.
Voraussetzung*	Das Abitur ist die Voraussetzung für ein Hochschulstudium.
gegen	
Angriff (→ auf)	Die Presse <u>richtete</u> heftige <u>Angriffe</u> gegen den Regierungschef. (FVG)**
Entscheidung (→ für / über)	Die Entscheidung gegen die Fortführung des Projekts ist schon gefallen.
Kampf (→ für)	Der Kampf gegen die Kinderarbeit muss verstärkt werden.
Krieg (→ um)	Im Krieg gegen Japan sind Atombomben eingesetzt worden.
Protest	Es gab nur wenig Protest gegen die Fahrpreiserhöhung.
Verdacht (→ auf)	Der Verdacht gegen die Angeklagte war unbegründet.
gegenüber	
Dankbarkeit	Aus Dankbarkeit gegenüber ihrem DaF-Grammatiklehrer widmete sie ihm ihr erstes Buch.
Vorurteil	Es wird immer Vorurteile gegenüber Minderheiten geben.
Misstrauen	Mein Misstrauen gegenüber dem Autohändler war begründet.
Verhalten	Ihr Verhalten mir gegenüber ist unverschämt!
mit	
Ähnlichkeit	Ihre Ähnlichkeit mit Ihrer Schwester ist unglaublich!
Begegnung	Die Begegnung mit der östlichen Philosophie hat sie verändert.
Bekanntschaft	Die Bekanntschaft mit einflussreichen Politikern hat Otto auch geschäftlich genutzt.
Einverständnis	Ich habe im Einverständnis mit meinen Geschäftspartnern gehandelt.
Versorgung	Die Versorgung der Bevölkerung mit sauberem Wasser ist gefährdet.
nach	
Forderung*	Die Forderung der Gewerkschaft nach Lohnerhöhungen wurde vom Arbeitgeberverband zurückgewiesen.
Frage	Meine Frage nach dem Prüfungsthema wurde nicht beantwortet.
Wunsch*	Der Wunsch alter Menschen nach Ruhe ist verständlich.
über$_A$	
Ärger	Mein Ärger über die gebührenpflichtige Verwarnung war groß.
Aufregung	Ich kann die Aufregung der Studierenden über die geplante Einführung von Studiengebühren sehr gut verstehen.
Bericht	Der Bericht des Regierungssprechers über die Kabinettssitzung war wenig informativ.
Diskussion	Die Diskussion über die Steuerreform dauert an.
Entscheidung (→ für / gegen)	Die Entscheidung über die Verwendung der Finanzmittel fällt erst im Mai.
Freude (→ an)	Verstehen Sie meine Freude über das gute Verhandlungsergebnis?
Mitteilung* (→ an)	Die Mitteilung über Ort und Zeit der Veranstaltung hat mich nicht erreicht.
Verhandlung	Die Verhandlungen über den Tarifvertrag werden morgen fortgesetzt.
um	
Angst (→ vor)	Aus Angst um seine Familie flog er sofort in seine Heimat zurück.
Bemühung	KLEISTS Bemühungen um Anerkennung durch GOETHE waren erfolglos.
Bitte	Meine Bitte um Verschiebung des Termins wurde nicht erfüllt.
Krieg (→ gegen)	In naher Zukunft könnten Kriege um Wasserreserven ausbrechen.

Sorge	Aus Sorge um die Auftragslage seiner Firma, die sich in der letzten Zeit verschlechtert hat, kann er kaum noch schlafen.
Streit	Der Streit um den Zeitpunkt der Abschaltung der Atomkraftwerke dauert unvermindert an.

von

Abhängigkeit	Die Abhängigkeit von Drogen nimmt allgemein zu.
Befreiung	Eine Aufgabe der Erziehung ist die Befreiung der Kinder von Angst.

vor$_D$

Angst (→ um)	Ich lasse mir meine Angst vor Spinnen nicht gerne anmerken.
Furcht	Die Furcht vor dem Verlust des Arbeitsplatzes ist groß.

zu

Bereitschaft	Wir schätzen seine Bereitschaft zu spontaner Hilfe.
Erlaubnis*	Hast du die Erlaubnis zum Betreten des Labors bekommen?
Fähigkeit	Es fehlt Ihnen die Fähigkeit zur Teamarbeit.
Freundschaft	Das haben sie aus Freundschaft zu uns getan.
Liebe*	Das alles tut er aus Liebe zu dir!
Lust (→ auf)	Ich <u>habe</u> heute keine <u>Lust</u> zum Arbeiten. (FVG)**
Vertrauen (→ auf)	Sein Vertrauen zu den Ärzten ist erschüttert.
Zustimmung	Die Regierungschefin kann mit großer Zustimmung zu ihren Reformplänen rechnen.

* Diesen Nomen entsprechen Verben mit Akkusativ-Ergänzung!
** FVG = Funktionsverbgefüge, s. Nr. 13

107. *Setzen Sie die fehlenden Präpositionen und Endungen ein!*

1. Haben Sie den Bericht _____ d___ Drogen-Kriminalität gelesen?

2. Der Appell _____ d___ Instinkte ist primitive Demagogie.

3. Dies ist nicht die richtige Antwort _____ mein___ Frage!

4. Die Liebe _____ sein___ Kinder___ war groß.

5. Die Vorräte _____ Benzin sind aufgebraucht.

6. Eine Beschränkung der Teilnehmerzahl _____ 20 wäre notwendig.

7. Die Arbeiten _____ d___ Seminargebäude gehen schnell voran.

8. Die Angeklagte hatte kein Vertrauen _____ ihr___ Anwältin.

9. Sein Vertrauen _____ d___ Unbestechlichkeit dieses Politikers ist unerschütterlich.

10. Ich verstehe den Ärger der Studierenden _____ d___ Mieterhöhung in den Wohnheimen.

11. Zuletzt hatte sie keine Lust mehr _____ Reisen. (Verbalnomen!)

12. Ich habe den Hinweis _____ d___ Terminverschiebung nicht gehört.

13. Bei Kindern ist die Vorfreude _____ Weihnachten immer groß.

14. Die Sorge _____ d___ krank___ Kind bedrückt sie sehr.

15. Die Frage _____ d___ Inhalt des Textes konnte sie nicht beantworten.

108. *Setzen Sie die fehlenden Präpositionen und Endungen ein!*

1. Ihr Glaube _____ d___ Gerechtigkeit Gottes ist felsenfest.

2. Meine Bitte _____ Verzeihung ist ernst gemeint.

3. Auf deine Hilfe _____ d___ Installation des neuen Programms kann ich nicht verzichten.

4. Die Opposition hat ihre Zustimmung _____ d___ Gesetz verweigert.

5. In einer Mitteilung _____ all___ Abonnenten wurden wir über die Gebührenerhöhung informiert.

6. Ihre Hoffnung _____ ein___ mild___ Urteil ist nur noch gering.

7. Die Hilfe _____ d___ arm___ Länder___ muss erweitert werden.

8. Die Begegnung _____ mein___ alt___ Freunde___ hat mich sehr gefreut.

9. Die Entscheidung _____ d___ Kandidatin Klein oder Lange fällt mir schwer.

10. Die Verhandlungen _____ d___ Truppenabzug erweisen sich als schwierig.

11. Die Eltern haben große Freude _____ ihr___ Kinder___.

12. Die Teilnahme _____ ein___ Intensiv-Kurs wird Ihnen hiermit bescheinigt.

13. Ihr Verhalten _____ ihr___ Kolleginnen und Kollegen ist unverschämt.

14. Seine Abhängigkeit _____ sein___ Eltern besteht immer noch.

15. Die Arbeitgeber weisen die Forderung _____ ein___ länger___ Urlaubszeit zurück.

16. Der Streit _____ d___ Grenzgebiet dauert an.

17. Der Wunsch der Völker _____ Frieden und Wohlstand ist verständlich.

18. Die Entscheidung _____ d___ Bau des Stadions wurde mit knapper Mehrheit getroffen.

19. Wir müssen den Kampf _____ d___ Unterernährung fortsetzen.

20. Diese Krankheit wird durch einen Mangel _____ Vitamine___ hervorgerufen.

21. Man sah ihm die Freude _____ d___ bestanden___ Führerscheinprüfung an.

22. Der Verbrauch _____ Erdöl ist kaum gestiegen.

23. Der Gedanke _____ d___ nächst___ Erdbeben lässt viele nicht zur Ruhe kommen.

24. Eine gültige Zulassung ist Voraussetzung _____ d___ Aufnahme in einen Sprachkurs an der Universität.

25. Die Angst _____ schwer___ Krankheiten hat zugenommen.

26. Ihre Fähigkeit _____ Abstraktion ist bewunderswert.

27. Durch unseren Verzicht _____ d___ Reise haben wir viel Geld gespart.

28. Der Bedarf _____ Nahrungsmittel___ steigt von Jahr zu Jahr.

109. *Setzen Sie die fehlenden Präpositionen und Endungen ein!*

1. Meine Bekanntschaft _____ d___ Rektor der Universität hat mir bei meinem Examen nicht geholfen.

2. Noch nie war das Interesse _____ Bücher___ über ökologische Themen so groß wie heute.

3. Mit einer solchen Reaktion _____ mein___ Äußerungen hatte ich nicht gerechnet.

4. Weihnachten wird gefeiert zur Erinnerung _____ d___ Geburt von Jesus Christus.

5. Die Angst _____ d___ Leben seines schwer kranken Vaters war ihm deutlich anzumerken.

6. Wir müssen den Schaden _____ d___ Gesundheit möglichst gering halten.

7. Die Garage kann nur im Einverständnis _____ d___ Nachbarn gebaut werden.

8. Aus Freundschaft _____ dir und dein___ Familie werde ich euch noch einmal Geld leihen.

9. Die Erlaubnis _____ Parken (Verbalnomen!) wird vom Rektorat erteilt.

10. Bei diesem Projekt ist der Nutzen _____ d___ Reichen am größten.

11. Die Entscheidung _____ d___ Einsatz der Armee trifft der Präsident.

12. Leider ist das Angebot _____ frei___ Stellen weiterhin rückläufig.

13. In Deutschland ist die Furcht _____ Schlangen unbegründet.

14. Der Verdacht _____ d___ festgenommen___ Frauen bleibt weiterhin bestehen.

15. Ich habe keine Vorurteile _____ Vorbestraft___ .

16. Die Ähnlichkeit des Pop-Stars _____ d___ Verbrecher ist verblüffend.

17. Wir können Ihnen noch keine Mitteilung _____ Ihr___ zukünftig___ Arbeitsplatz machen.

18. Der Krieg _____ d___ Besitz___ der Ölquellen muss sofort beendet werden.

19. Der Druck _____ d___ Politiker nimmt immer mehr zu.

20. Die Übergabe der Leitung _____ d___ neu___ Direktorin ist bereits erfolgt.

21. Unterlassen Sie die verbalen Angriffe _____ Ihr___ Mitarbeiter___!

22. Der Preis von 260.000 Euro _____ d___ Haus erscheint mir zu hoch.

23. Wegen des Verdachts _____ BSE mussten viele Rinder getötet werden.

24. Aus Dankbarkeit _____ ihr___ Lebensretter wollte sie ihn heiraten.

25. Der Anteil der Erwerbslosen _____ d___ Gesamtbevölkerung hat leicht abgenommen.

26. Angeblich war der Angriff nur _____ militärisch___ Ziel___ gerichtet.

27. Aus Misstrauen _____ d___ unbekannt___ Mann___ schloss sie die Wohnungstür sofort wieder.

28. Die Versorgung der Flüchtlinge _____ frisch___ Lebensmittel___ war schwierig.

13 Funktionsverbgefüge

(1) Der Staatsanwalt *zog* die Wahrheit der Zeugenaussage *in Zweifel.*
    → Der Staatsanwalt zweifelte an der Wahrheit der Zeugenaussage.

(2) Mikrochips *finden* heute in fast allen Lebensbereichen *Verwendung.*
    → Mikrochips werden heute in fast allen Lebensbereichen verwendet.

Funktionsverbgefüge (FVG) sind Prädikate, die aus einer festen Verbindung von *Funktionsverb* und *Gefügenomen* bestehen.

Das Gefügenomen kann nicht wie eine Ergänzung erfragt werden,
also nicht:
(1) ~~Wohin zog der Staatsanwalt die Wahrheit der Zeugenaussage?~~
(2) ~~Was finden Mikrochips in fast allen Lebensbereichen?~~

Die Bedeutung eines FVGs wird hauptsächlich durch das Gefügenomen bestimmt.
Das Funktionsverb hat vor allem grammatische Funktion.

Es gibt zwei Typen von FVG:
1. präpositionale FVG: *in Zweifel ziehen; unter Druck setzen; zur Kenntnis nehmen; …*
2. akkusativische FVG: *Verwendung finden; eine Rede halten; einen Beruf ergreifen; …*

Oft entspricht die Bedeutung des FVGs weitgehend einem Verb vom Wortstamm des Gefügenomens:
in Zweifel ziehen   ≙ zweifeln (an) / bezweifeln
Verwendung finden   ≙ verwendet werden
sich Gedanken machen   ≙ nachdenken (über)

In den meisten Fällen hat aber das FVG eine eigenständige Bedeutung:
in Schutz nehmen ≙ gegen Kritik oder Vorwürfe verteidigen (nicht: ~~schützen~~)
sich in Verbindung setzen ≙ Kontakt aufnehmen (nicht: ~~sich verbinden~~)
zum Vorschein kommen ≙ sichtbar werden

Liste häufig gebrauchter Funktionsverbgefüge

begehen

eine Dummheit	Ich habe die Dummheit begangen, Aktien zu kaufen.
Selbstmord / einen Mord	Der Behördenchef, dessen Unterschlagungen bekannt geworden waren, beging Selbstmord.
ein Verbrechen	Die Verbrechen, die von Hitler und Stalin begangen wurden, dürfen nicht vergessen werden.

bringen + A

in Erfahrung	Kannst du vielleicht Peters Adresse in Erfahrung bringen?
in Gang	Es war schwer, den Motor wieder in Gang zu bringen.
in Gefahr	Mit seinem riskanten Fahrstil hat er sich oft in Gefahr gebracht.
in Ordnung	Ich muss meine Papiere endlich einmal in Ordnung bringen.
in Sicherheit	Bei dem Brand gelang es Frau Muth, sich und ihre drei Kinder in Sicherheit zu bringen.
in Verbindung *mit*	Einige italienische Politiker wurden mit der Mafia in Verbindung gebracht.
unter Kontrolle	Durch vorsichtiges Bremsen brachte er das Fahrzeug wieder unter Kontrolle.

zum Abschluss	Die Kommission will ihre Untersuchung bald zum Abschluss bringen.
zum Ausdruck	In seiner Abschiedsrede brachte der Chef seinen Dank für die gute Zusammenarbeit zum Ausdruck.
zu Ende	Er hat weder sein Studium noch seine praktische Ausbildung zu Ende gebracht.
zur Sprache	Bevor wir abstimmen, möchte ich noch ein weiteres Argument zur Sprache bringen.

ergreifen

einen Beruf	Viele Abiturienten ergreifen sofort einen Beruf, wenn sie das Gymnasium beendet haben.
die Flucht	Als die Antilopen den Löwen entdeckt hatten, ergriffen sie die Flucht.
die Initiative	Wenn niemand die Initiative ergreift, wird alles beim Alten bleiben.
die Macht	Eine Offiziersclique hat geputscht und die Macht ergriffen.
eine Maßnahme	Die Zentralbank muss Maßnahmen ergreifen, um die Inflation zu dämpfen.

finden

Anerkennung	Die Autorin hat mit ihrem neuen Buch bei vielen Kritikern Anerkennung gefunden.
Anwendung	Der Paragraph 17 kann in diesem Zusammenhang keine Anwendung finden.
Aufnahme	Viele Wissenschaftler, die von den Nazis verfolgt wurden, fanden Aufnahme in der Türkei.
Beachtung	Die Gesetzesvorschläge der Opposition fanden keine Beachtung.
Beifall	Der Plan der Regierung, die Steuern zu senken, findet allgemeinen Beifall.
Berücksichtigung	Ihre Bewerbung konnte leider keine Berücksichtigung mehr finden, da sie verspätet eingegangen ist.
Interesse	Der neue Modeartikel findet bei den Käufern kein Interesse.
den Tod	Beim Absturz eines Privatflugzeugs in der Nähe von Wien fanden alle Insassen den Tod.
Unterstützung	Bei wem kann ich für meine Pläne Unterstützung finden?
Verständnis	Peter findet bei seinem Vater kein Verständnis für sein teures Hobby.
Verwendung	Der Holzpflug findet in Europa keine Verwendung mehr.
Zustimmung	Mein Vorschlag, ein größeres Haus zu kaufen, fand die Zustimmung der ganzen Familie.

führen

ein Gespräch	Die Regierungschefs führten ein Gespräch unter vier Augen.
einen Kampf	Der Zoll führt einen fast aussichtslosen Kampf gegen den Drogenschmuggel.
(einen) Krieg	Das Land führt schon seit fünf Jahren Krieg gegen die Rebellen im Norden.
ein Leben	Unsere pensionierte Kollegin führt jetzt ein ruhiges Leben.
Protokoll	Die Professorin bat einen Studenten, über die Seminarsitzung Protokoll zu führen.
eine Verhandlung	Die Gewerkschaften führen mit den Arbeitgebern Verhandlungen über eine Lohnerhöhung.
zu Ende + A	Aus Geldmangel hat das Institut die Untersuchungen nicht zu Ende führen können.

geben

ein Versprechen (+ D)	Er hat uns das Versprechen gegeben, das Geld noch vor Monatsende zurückzuzahlen.
Mühe + *sich*	Ich werde mir Mühe geben, die Arbeit bis morgen Abend fertig zu machen.

geben / erteilen + D

eine Antwort	Eine Antwort auf die Frage nach der Unfallursache können wir Ihnen erst nach Abschluss unserer Untersuchungen geben / erteilen.

(eine) Auskunft	Über das Prüfungsergebnis können wir nur dem Kandidaten persönlich Auskunft geben/erteilen.
einen Befehl	Der Einsatzleiter gab/erteilte den Polizisten den Befehl, das besetzte Haus zu räumen.
eine Erlaubnis	Die Verwaltung hat allen Mitarbeitern die Erlaubnis gegeben / erteilt, im Hof zu parken.
einen Rat	Der Arzt gab / erteilte der Patientin den dringenden Rat, das Rauchen aufzugeben.
Unterricht	Herr Klein gibt /erteilt Unterricht im Lehrgebiet Deutsch als Fremdsprache.

erteilen + D

eine Absage	Die liberale Partei erteilte dem Koalitionsangebot der Sozialisten eine Absage.
einen Auftrag	Der Auftrag zum Bau der Autobahnbrücke wurde einer belgischen Firma erteilt.

halten

eine Predigt / eine Rede	Der Pastor hat am Sonntag in der Kirche eine eindrucksvolle Predigt gehalten.
die Treue	Er hat seinem Freund auch in schweren Zeiten die Treue gehalten.
ein Versprechen	Ein gegebenes Versprechen muss man auch halten!
eine Vorlesung	Frau Professor Lütt hält in diesem Semester eine Vorlesung über Wachstumsstörungen.
einen Vortrag	Eine Archäologin hält am Dienstag einen Vortrag über neue Ausgrabungen am Tigris.

kommen

in Betracht / in Frage	Ein Wechsel der Universität kommt für mich nicht mehr in Betracht /in Frage.
in Gang	Die Diskussion über die generelle Abschaffung der Todesstrafe muss wieder in Gang kommen.
zur Anwendung	Bei der Pulverkaffeeherstellung kommt ein neues Verfahren zur Anwendung.
zum Bewusstsein + D	Dass ich in großer Gefahr schwebte, ist mir in der Situation selbst nicht zum Bewusstsein gekommen.
zum Einsatz	Die neuen Löschfahrzeuge der Feuerwehr sind gestern erstmals zum Einsatz gekommen.
zu einem Ergebnis	Nach einer langen Diskussion kamen wir zu dem Ergebnis, das Angebot anzunehmen.
zu einem Entschluss	Wir sind nach langen Überlegungen zu einem Entschluss gekommen.
zu Hilfe	Beim Überqueren der Grenze kam den Flüchtlingen glücklicherweise dichter Nebel zu Hilfe.
zur Ruhe	Seine Sorgen um die Familie ließen ihn nicht zur Ruhe kommen.
zum Stillstand	Der Rüstungswettlauf ist immer noch nicht zum Stillstand gekommen.
zu der Überzeugung	Ich bin zu der Überzeugung gekommen, dass meine Entscheidung richtig war.
zum Vorschein	Sobald der Schnee schmilzt, kommen die ersten Blumen zum Vorschein.

leisten

eine Anzahlung	Wenn Sie das Auto abholen, müssen Sie eine Anzahlung leisten.
einen Beitrag	Römer, Germanen, Berber, Araber – sie alle haben einen Beitrag zur spanischen Kultur geleistet.
einen Eid	Beamte und Minister leisten bei Dienstantritt einen Eid auf die Verfassung.
Gesellschaft + D	Ich kann wegen einer Knieverletzung das Haus nicht verlassen; leistest du mir heute ein bisschen Gesellschaft?
Hilfe (+ D)	Das Rote Kreuz leistet in Katastrophenfällen Hilfe.

(Wehr)dienst	In Deutschland müssen männliche Jugendliche Wehrdienst oder Ersatzdienst leisten.
Widerstand	Bei seiner Festnahme leistete der Bankräuber keinen Widerstand.

machen

eine Aussage	Ein Zeuge machte die Aussage, dass der Fahrer vor der roten Ampel nicht angehalten habe.
einen Fehler	Intelligente Menschen machen denselben Fehler nur einmal, dumme immer wieder.
Gedanken + *sich*	Mach dir nicht zu viele Gedanken über die Zukunft!
Sorgen + *sich (um)*	Um kranke Kinder machen Eltern sich immer Sorgen.
Mut + D	Es ist wichtig, ängstlichen Kindern vor einer Prüfung Mut zu machen.

nehmen

Abschied *von*	Tausende Bürger kamen zur Trauerfeier, um von ihrem toten Bürgermeister Abschied zu nehmen.
Bezug *auf*	Ich nehme Bezug auf Ihre Anfrage vom 3. Mai und teile Ihnen dazu Folgendes mit: …
Einfluss *auf*	Große Konzerne versuchen, auf Entscheidungen der Regierung Einfluss zu nehmen.
Kenntnis *von*	Ich bestätige hiermit, dass ich von der Kündigung Kenntnis genommen habe.
Notiz *von*	Der Angeklagte nahm keine Notiz von der Zeugin, sondern schaute gelangweilt aus dem Fenster.
Platz	Die Mitglieder des Präsidiums nahmen in der ersten Reihe Platz.
Rache *an*	Die Mafia nimmt an Verrätern blutige Rache.
Rücksicht *auf*	Wir fuhren langsam, weil wir auf Fußgänger Rücksicht nehmen mussten.
Stellung *zu*	Bitte nehmen Sie Stellung zu den hier geäußerten Vorwürfen!
in Anspruch + A	Kann ich Ihre Hilfe in Anspruch nehmen?
in Betrieb + A	Unsere Firma kann die neue Anlage erst in Betrieb nehmen, wenn der TÜV sie abgenommen hat.
in Besitz + A	Nach dem Tode des Vaters nahm der Sohn den Hof in Besitz.
in Empfang + A	Er nahm das Geld dankend in Empfang.
in Kauf + A	Wer sein Geld in Aktien anlegt, muss bereit sein, Verluste in Kauf zu nehmen.
in Schutz + A	Es ist ganz natürlich, dass Eltern ihre Kinder in Schutz nehmen.
zur Kenntnis + A	Ich habe zur Kenntnis nehmen müssen, dass mein Antrag abgelehnt worden ist.

schenken + D

Beachtung	Der Warnung vor einem Ausbruch des Vulkans schenkte die Bevölkerung kaum Beachtung.
Glauben	Den Berichten von Reisenden über Riesen und Zwerge schenkte man früher Glauben.
Vertrauen	Sie sollten niemandem Ihr Vertrauen schenken, der Ihnen ungewöhnlich hohe Zinsen verspricht.

setzen + A

aufs Spiel	Wer von dieser Brücke springt, setzt sein Leben aufs Spiel.
in Gang	Eine Bürgerinitiative hat eine Diskussion über die Lärmbelästigung in Gang gesetzt.
in Kenntnis *von*	Ich muss Sie davon in Kenntnis setzen, dass die Miete ab Mai erhöht wird.
in / außer Kraft	Der Europäische Gerichtshof hat das Werbeverbot für Zigaretten außer Kraft gesetzt.
in Verbindung + *sich*	Wegen der Verlängerung ihres Passes setzen Sie sich bitte mit dem Konsulat in Verbindung.
unter Druck	Bei ihrer Entscheidung hat sie sich von keinem unter Druck setzen lassen.

stehen

zur Debatte	Eine Gehaltserhöhung steht in diesem Jahr nicht zur Debatte.
zur Verfügung	Uns steht für die Reise ein bequemer Bus zur Verfügung.
zur Wahl	Für das Amt der Vorsitzenden stehen drei Kandidatinnen zur Wahl.

stellen

einen Antrag *auf*	Eine Biologiestudentin hat einen Antrag auf Zulassung zum Medizinstudium gestellt.
eine Aufgabe + *D*	Der Mathematiklehrer stellte den Schülern eine schwere Aufgabe.
eine Forderung	Die Geiselnehmer stellten die Forderung nach einem Fluchtauto und zwei Millionen Euro Lösegeld.
eine Frage (+ *D*)	Stell (mir) doch nicht immer wieder die gleichen Fragen!
in Dienst + *A*	Die Feuerwehr hat ein neues Löschfahrzeug in Dienst gestellt.
in Frage + *A*	Der Nutzen dieser Investition ist in Frage zu stellen.
zur Diskussion + *A*	Ich möchte meinen Vorschlag zur Diskussion stellen.
zur Verfügung + *A*	Die Bank hat mir einen Kredit zur Verfügung gestellt.

treffen

ein Abkommen	Die Staaten der EU haben ein Abkommen über den freien Grenzverkehr getroffen.
eine Auswahl	Man kann nicht jeden Zeitungsartikel lesen; man muss eine Auswahl treffen.
eine Entscheidung	Bei diesen vielen Möglichkeiten ist es schwer, eine Entscheidung zu treffen.
eine Maßnahme	In Köln hat man Maßnahmen zum Schutz vor dem Rheinhochwasser getroffen.
eine Unterscheidung	Es ist oft schwer, eine Unterscheidung zwischen mutigem und riskantem Verhalten zu treffen.
Vorbereitungen	Schon Anfang Dezember treffen viele deutsche Familien Vorbereitungen für das Weihnachtsfest.

treiben

Handel	Die Araber trieben schon im Mittelalter Handel mit den Genuesen.
Sport	Wenn Sie zu Übergewicht neigen, sollten Sie regelmäßig Sport treiben.

üben

Kritik *an*	Am Regierungsstil des Kanzlers wurde von vielen Seiten Kritik geübt.

ziehen

Konsequenzen *aus*	Aus der Abstimmungsniederlage zog der Regierungschef die Konsequenzen und trat zurück.
Nutzen *aus*	Aus seiner Lage am Meer hat Venedig Jahrhunderte lang Nutzen gezogen.
eine Lehre *aus*	Welche Lehre lässt sich aus der Tatsache ziehen, dass in Staaten mit Todesstrafe nicht weniger Morde passieren als in anderen Ländern?
den Schluss *aus*	Aus ihrem Verhalten ziehe ich den Schluss, dass sie sich scheiden lassen will.
(einen) Vorteil *aus*	Es ist unfair, aus der unglücklichen Lage eines anderen Vorteil zu ziehen.
in Erwägung + *A*	Wegen des zunehmenden Fluglärms ziehen wir einen Wohnungswechsel in Erwägung.
in Zweifel + *A*	Aufgrund meiner Nachforschungen muss ich ihre Aussage in Zweifel ziehen.
zur Verantwortung + *A*	Meistens kann man die Verursacher von Umweltkatastrophen nicht zur Verantwortung ziehen, weil sie nicht zu ermitteln sind.

sich zuziehen

eine Infektion	Lass dich impfen, damit du dir im Winter keine Grippe zuziehst!
eine Verletzung	Beim Skilaufen kann man sich leicht schwere Verletzungen zuziehen.
den Zorn	Durch seine heimliche Heirat hatte Mehmet sich den Zorn seines Vaters zugezogen.

---

110. *Setzen Sie die fehlenden Wörter in die Lücken ein!*

1. Menschen ohne Einkommen können Sozialhilfe _____ Anspruch _____.
2. Wer Sozialhilfe beansprucht, muss einen Antrag beim Sozialamt _____.
3. Für regelmäßige Zahlungen können Sie Ihrer Bank einen Dauerauftrag _____.
4. Der Maler _____ seine Freude über das große Interesse an seiner Ausstellung _____ Ausdruck.
5. Das Prüfungsamt _____ nur dem Prüfling persönlich Auskunft über das Prüfungsergebnis.
6. Die Rede des UN-Generalsekretärs _____ in der ganzen Welt starke Beachtung.
7. Wegen der Krebsgefahr sollte man auch kleinen Hautveränderungen Beachtung _____.
8. Die so genannten Gastarbeiter _____ einen beachtlichen Beitrag zum Steueraufkommen.
9. Otto will nicht studieren, sondern gleich nach dem Abitur einen Beruf _____.
10. Entfernen Sie die Transportsicherung, bevor Sie die Waschmaschine _____ Betrieb _____.
11. Mit Protesten gegen hohe Steuern _____ Fernlastfahrer die Regierung _____ Druck.
12. Wer hat die Geldspende des Waffenhändlers an die Partei _____ Empfang _____?
13. Es konnte nicht _____ Erfahrung _____ werden, woher der anonyme Anruf kam.
14. Die Polizei _____ _____ dem Ergebnis, dass die Morddrohung an den Minister ein übler Scherz war.
15. Ich habe den Fehler _____, Helene von meinen Plänen zu erzählen.
16. Zur Nutzung der Sonnenenergie _____ zurzeit in Mitteleuropa nur zwei Systeme _____ Frage.
17. Die Existenz so genannter Erdstrahlen wird von den meisten Physikern _____ Frage _____.
18. Steigende Ölpreise haben die Entwicklung sparsamerer Autos ___ Gang _____.
19. Kleine, sparsame Autos _____ bei den Käufern aber leider wenig Interesse.
20. Seit Jahren _____ die Vertreter beider Seiten Gespräche über einen Frieden.
21. 1989 haben die Bürger der DDR die Initiative zum Sturz des Regimes _____.
22. Wer eine Weltreise per Fahrrad macht, muss Unbequemlichkeiten _____ Kauf _____.
23. Bitte _____ Sie _____ Kenntnis, dass hier nicht geraucht werden darf.
24. Herr Minister, Sie sind für das Versagen Ihrer Behörde verantwortlich! _____ Sie die Konsequenzen! Treten Sie zurück!

111. *Ergänzen Sie!*

1. Am ersten Januar wurden Steueränderungen _____ Kraft _____.

2. Wer ein Leben in Frieden _____ will, sollte keinen Streit anfangen.

3. Nachdem die Nazis die Macht _____ hatten, schafften sie alle demokrati-schen Institutionen ab.

4. Welche Maßnahmen _____ der Staat, um den Drogenhandel zu unter-binden?

5. Dem Angeklagten konnte bisher nicht nachgewiesen werden, dass er den Mord _____ hatte.

6. Der Minister hat das Ziel, die Staatsfinanzen wieder _____ Ordnung zu _____.

7. Können Sie mir einen Rat _____, wie ich aus dieser schwierigen Situation herauskomme?

8. Statt lange Reden über das Problem zu _____, solltest du lieber etwas tun.

9. _____ Rücksicht auf die Nachbarn und stellt die Musik etwas leiser!

10. Aus falschen Prämissen kann man keine richtigen Schlüsse _____.

11. Mein Arzt sagt, ich solle mehr Sport _____.

12. Der Angeklagte wollte zu der Behauptung der Zeugin nicht Stellung _____.

13. Wir sind _____ der Überzeugung _____, dass eine Reparatur des Autos sich nicht mehr lohnt.

14. Die Mechaniker, die das Seilbahnunglück verschuldet haben, werden gerichtlich _____ Verantwortung _____.

15. Für die Schadstoffanalysen haben den Chemikern die modernsten Geräte _____ Verfügung _____.

16. Jedem Bundestagsabgeordneten wird ein Büro _____ Verfügung _____.

17. Die Nachbarn haben mir das Versprechen _____, im Urlaub auf unser Haus aufzupassen.

18. Oft _____ Kriegsflüchtlinge bei den Behörden wenig Verständnis für ihre Situation.

19. Frau Professor Lang kann wegen Erkrankung ihre heutige Vorlesung nicht _____ _____.

20. Die Anregung, sich nach einem halben Jahr wieder zu treffen, _____ bei allen Zustimmung.

112. *Ersetzen Sie die Funktionsverbgefüge durch ein Verb gleicher oder ähnlicher Bedeutung!*

(anwenden, ausdrücken, ~~beantragen~~, beenden, berücksichtigen, (sich) entscheiden, erlauben, informieren, kritisieren, sich verabschieden, vereinbaren)

1. Eine türkische Studentin hat einen Antrag auf Aufenthaltserlaubnis gestellt.
   → *Eine türkische Studentin hat eine Aufenthaltserlaubnis beantragt.*
2. Ich würde gern diese Arbeit zu Ende führen, bevor ich mit etwas Neuem beginne.
   →
3. Zu spät gestellte Anträge können keine Berücksichtigung mehr finden.
   →
4. Vor seinem Abflug nach Europa nahm er Abschied von seinen Freunden.
   →
5. Ich möchte Ihnen mit diesem Geschenk meinen Dank zum Ausdruck bringen.
   →
6. Die Kommission hat ihre Entscheidung mit Zweidrittelmehrheit getroffen.
   →
7. Nach der Demonstration wurde scharfe Kritik am Verhalten der Polizei geübt.
   →
8. Bei der Altersbestimmung geologischer Schichten kommen heute neue Methoden zur Anwendung.
   →
9. Wer hat Ihnen die Erlaubnis gegeben, hier zu angeln?
   →
10. Niemand hatte uns von der Sperrung der Brücke in Kenntnis gesetzt.
    →
11. Die Regierungen Frankreichs und Deutschlands haben ein Abkommen über regelmäßige Konsultationen getroffen.
    →

* 113. *Ersetzen Sie die Verben durch gleichbedeutende Funktionsverbgefüge!*

1. Dass MARCO POLO tatsächlich in China war, wird von modernen Historikern bezweifelt.
   → *Dass MARCO POLO tatsächlich in China war, wird von modernen Historikern in Zweifel gezogen.*
2. Schon sechs Jahre im Voraus werden Olympische Spiele vorbereitet.
   →
3. Darf die Regierung versuchen, die Entscheidungen der Firmenleitung zu beeinflussen?
   →

4. Bleiben wir hier, oder fahren wir nach Hause? Wir sollten uns noch heute entscheiden!

→

5. Starker Rauch gefährdete nicht nur die Hausbewohner, sondern auch die Feuerwehrleute.

→

6. Den Antrag der Abgeordneten Walterscheid unterstützten nicht nur ihre Parteifreunde.

→

7. Es ist schwer, aus einem großen Angebot das Richtige auszuwählen.

→

8. Wer einem Menschen in Gefahr nicht hilft, macht sich strafbar.

→

9. Die Kriminalpolizei hat ihre Untersuchung abgeschlossen.

→

10. Das Medikament Contergan darf wegen schwerer Nebenwirkungen nicht mehr verwendet werden.

→

11. Wir müssen Sie leider von der Ablehnung Ihres Antrags unterrichten. *(Kenntnis!)*

→

12. Der Aufsatz über die Solartechnik ist in der Fachwelt stark beachtet worden.

→

13. Die Frage der Parteienfinanzierung interessiert die Wähler kaum.

→

14. Die christliche Religion verbietet es, sich an einem Feind zu rächen.

→

15. Die Dorfbewohner flohen vor dem glühenden Lavastrom.

→

14 Negation mit *nicht* (Stellungsregeln)

14.1 Teilnegation

<u>*nicht*</u> steht **vor** dem verneinten Wort bzw. Satzglied:

<u>*Nicht*</u> **mein Bruder** hat gestern das Wörterbuch gekauft, <u>sondern meine Schwester.</u>
Mein Bruder hat das Wörterbuch <u>*nicht*</u> **gestern** gekauft, <u>sondern vorgestern.</u>
Mein Bruder hat gestern <u>*nicht*</u> **das Wörterbuch** gekauft, <u>sondern einen Krimi.</u>
Mein Bruder hat gestern das Wörterbuch <u>*nicht*</u> **gekauft***, <u>sondern ausgeliehen.</u>
* auch Satznegation

14.2 Satznegation

<u>*nicht*</u> steht **nach** den Kasus-Ergänzungen (*AE, DE, GE*) und den meisten Angaben (z. B. *TempA, KausA, KondA*)

> Der Präsident überreichte gestern dem Sieger die Goldmedaille wegen Dopingverdachts *nicht*.

Aber <u>*nicht*</u> steht

vor dem zweiten Prädikatsteil:
Präfix	Er schreibt den Text *nicht* ab.
Infinitiv	Er kann den Text *nicht* lesen.
Partizip	Er hat den Text *nicht* verstanden.
	Der Text ist *nicht* korrigiert worden.
Prädikatsadjektiv	Sie war im vergangenen Jahr *nicht* krank.
Nomen des FVGs	
mit ϕ-Artikel*	Er nimmt jetzt noch *nicht (keine)* Stellung.
mit Präposition	Man kann die Maschine *nicht* in Betrieb nehmen.

vor der Nominal-Erg.*
> Er wird *nicht (kein)* Arzt.
> Der Führerschein gilt *nicht* als Pass.

vor der Präpositional-Erg.
> Er interessiert sich *nicht* für Politik.
> Er interessiert sich *nicht* dafür.
> Er erinnert sich *nicht* an mich.

vor der Situativ-Erg.
> Sie wohnt *nicht* in Münster.

vor der Direktiv-Erg.
> Er fährt *nicht* nach Hamburg.
> Sie holt das Auto heute *nicht* aus der Garage.

vor der Modal-Angabe
(Teilnegation!)
> Sie schreibt den Brief *nicht* mit der Hand.
> Sie schreibt den Brief *nicht* fehlerfrei.

* Oft auch Negation *kein-*.

<u>Anm.</u>: Die Unterscheidung zwischen Satz- und Teilnegation ist oft nur mit Hilfe des inhaltlichen Zusammenhangs möglich.

114. *Setzen Sie „nicht" an die richtige Stelle! (Satznegation!)*

1. Ich treffe meinen Freund heute.

   →

2. Er steckt das Foto in seine Brieftasche.

   →

3. Die Dokumente liegen wegen der Einbruchsgefahr in diesem Stahlschrank.

   →

4. Gehen sie heute Nachmittag ins Kino?

   →

5. Warum ist die Polizei am Montag Abend dem Motorradfahrer gefolgt?

   →

6. Er gab seinen Eltern Bescheid.

   →

7. Ich kann dieser Entscheidung ausweichen.

   →

8. Warum haben Sie den Brief heute beantwortet?

   →

9. Das Geld darf der Frau des Kontoinhabers ausgehändigt werden.

   →

10. Wir haben uns in Amerika wohl gefühlt.

    →

11. Ich rechne damit, dass er kommt.

    →

12. Seine Zeugnisse hatte er sorgfältig aufbewahrt.

    →

13. Die Abholzung des Waldes ist die entscheidende Ursache für die Erosion.

    →

14. Wegen der aufgetretenen Probleme stellt die Firma uns heute ausnahmsweise ihren Computer zur Verfügung.

    →

15. Die Spedition hat den Container bis vor die Haustür befördert.

    →

16. Echte Münzen von Fälschungen zu unterscheiden ist manchmal schwierig.

    →

17. Warum haben Sie der Meinung des Redners eigentlich widersprochen?

    →

18. In seiner letzten Rede ist der Vorsitzende auf die seines Nachfolgers eingegangen.

    →

15 Infinitive

- Jedes Verb hat mindestens 2 Infinitive:
    Infinitiv I für die Gleichzeitigkeit
    Infinitiv II für die Vorzeitigkeit
- Verben, die ein Passiv bilden können, haben 4 Infinitive, oder 6, wenn ein *sein*-Passiv möglich ist.

15.1 Infinitive als Prädikatsteile bzw. Prädikate

(1) *Reiner Infinitiv bei Modalverben*

Inge *will* nach Hause	*gehen.*	(Infinitiv I Aktiv)
Inge *soll* nach Hause	*gegangen sein.*	(Infinitiv II Aktiv)
Jemand *muss* die Tür	*schließen.*	(Infinitiv I Aktiv)
Jemand *muss* die Tür	*geschlossen haben.*	(Infinitiv II Aktiv)
Die Tür *muss*	*geschlossen werden.*	(Infinitiv I *werden*-Passiv)
Die Tür *muss*	*geschlossen worden sein.*	(Infinitiv II *werden*-Passiv)
Die Tür *muss*	*geschlossen sein.*	(Infinitiv I *sein*-Passiv)
Die Tür *muss*	*geschlossen gewesen sein.*	(Infinitiv II *sein*-Passiv

(2) *„zu" + Infinitiv bei Modalitätsverben*

Nachts *sind* die Heizkörper *abzudrehen.*
Ich *habe* noch *zu arbeiten.*
Das Geschäft *scheint* **geschlossen zu sein.**

(3) *Reiner Infinitiv bei Empfehlungen oder Aufforderungen*

Zucker nach Belieben *zugeben* und das Wasser mit dem Kaffeepulver *aufkochen.*
Weitergehen!

15.2 Infinitive als Prädikate von Nebensätzen

(1) *„zu" + Infinitiv in Ergänzungssätzen.*

Es ist unangenehm, ohne Schirm im Regen *zu stehen.* (Subj.)
Peter behauptet, unseren Plan nicht *gekannt zu haben.* (AkkErg)
Der Parteivorsitzende erwartet, wieder *gewählt zu werden.* (AkkErg)
Sie beschwert sich (darüber), nicht *gefragt worden zu sein.* (PräpErg)
Es ist unmöglich, von Sherlock Holmes nicht *gefesselt zu sein.* (Subj.)

(2) **„zu" + Infinitiv** *in Attributsätzen*

Vor Freude (darüber), wieder nach Hause *zu kommen,* lachten und sangen die Kinder.
Ottos Behauptung, über den Prüfungstermin nicht *informiert gewesen zu sein,* ist
unrichtig.

(3) *Infinitive in Angabesätzen*

- **„um ... zu"** + **Infinitiv** *in Finalsätzen*

  Um etwas Geld *zu verdienen,* arbeitet Rosita abends in einem Restaurant.
  Geheimagenten tragen immer dunkle Brillen, *um* nicht *erkannt zu werden.*

- **„ohne ... zu"** + **Infinitiv** *in „negativen" Komitativsätzen*

  Inge ging fort, *ohne sich zu verabschieden.*
  Wie bist du ins Haus gekommen, *ohne gesehen zu werden?*

- **„anstatt ... zu"** + **Infinitiv** *in „negativen" Adversativsätzen*

  Anstatt ihre Schulden endlich *zu bezahlen,* macht sie neue.
  Der Verletzte bekam nur ein Beruhigungsmittel, *anstatt* sofort *operiert zu*
  werden.

- **„zu ..., um ... zu"** + **Infinitiv** *in „negativen" Konsekutivsätzen*

  Ruth war noch <u>zu</u> schwach, *um* ihren Koffer selbst *zu tragen.*
  Um pensioniert *zu werden,* ist dieser Beamte <u>zu</u> jung.

15.3 Nominalisierte Infinitive

Wir rechnen stündlich mit seinem *Eintreffen.*
Beim *Trinken* musste ich plötzlich husten.
Was ist der Grund Ihres *Kommens?*

16 Partizipialkonstruktionen

(1) Partizip I

Otto, *gelangweilt im Katalog **blätternd,*** sagte: „Das soll Kunst sein?"
*Gelangweilt im Katalog **blätternd,*** sagte Otto: ...

→ *Während Otto gelangweilt im Katalog blätterte,* sagte er: ...
→ „Das soll Kunst sein?", sagte Otto, *wobei er gelangweilt im Katalog blätterte.*

(2) Partizip II

*Von einem Gerichtsdiener **aufgerufen,*** ging die Zeugin zum Richtertisch.
Die Zeugin, *von einem Gerichtsdiener **aufgerufen,*** ging zum Richtertisch.

→ Die Zeugin, *die von einem Gerichtsdiener aufgerufen worden war,* ging zum Richtertisch.
→ *Als die Zeugin von einem Gerichtsdiener aufgerufen wurde,* ging sie zum Richtertisch.

- Partizipialkonstruktionen entsprechen Angabe- oder Relativsätzen.
- Sie haben weder ein Subjekt noch ein Einleitungswort.
- Ihre Stellung ist relativ frei.
- Die Bedeutung muss aus dem Zusammenhang erschlossen werden.
- Partizipialkonstruktionen kommen nur in geschriebener Sprache vor.

Besonderheit:

Partizipien von ***haben*** und ***sein*** werden in Partizipialkonstruktionen nicht benutzt.
Eine Hand in der Tasche (~~habend~~), erläuterte Professor Murphy seine Theorie.
Die Studentin, *glücklich über das gute Prüfungsergebnis (~~seiend~~),* umarmte ihren Professor.

Feste Partizipial-Fügungen wie *abgesehen von, verglichen mit, anders ausgedrückt* etc. s. Konditionalsätze
Nr. 4.7.

17. *es*

17.1 *es* als Subjekt oder Akkusativ-Ergänzung

(1.1) Wessen Fahrrad ist das? – Ich glaube, dass *es* Otto gehört.

(1.2) Ich rauche nicht mehr im Büro; *es* ist dort nämlich verboten.

(2.1) Das alte Haus war baufällig; man musste *es* abreißen.

(2.2) Dass die Vorlesung ausfällt, hätte sie wissen müssen; ich hatte *es* ihr gesagt.

(2.3) Man fragte ihn, woher er komme, aber er antwortete nicht; ~~*es* hatte er vielleicht nicht verstanden.~~

> Das Personalpronomen *es* ist Subjekt (1) oder Akkusativ-Ergänzung (2) und steht anstelle eines vorher genannten neutralen Nomens im Singular (1.1; 2.1) oder eines Sachverhalts in Form eines Satzes bzw. von Teilen eines Satzes (1.2; 2.2).
>
> Im Akkusativ kann *es* nicht am Satzanfang stehen (2.3).

17.2 *es* als Nominal-Ergänzung

Evas Mutter ist Lehrerin, und Eva wird *es* auch. (= Eva wird auch Lehrerin.)

Vor dem Museum standen einige Touristen; *es* waren Japaner.

Die Liberalen waren die stärkste Partei im Parlament, und sie bleiben *es* für weitere vier Jahre.

> Bei den Verben *sein, werden* und *bleiben* steht *es* als Nominal-Ergänzung anstelle irgendeines vorher genannten Nomens im Singular oder Plural, unabhängig von Genus und Numerus.

17.3 *es* als Prädikatsteil

Die meisten Menschen möchten gern alt werden, aber niemand möchte *es* gern sein.

> In Adjektivprädikaten mit den Verben *sein, werden* und *bleiben* kann *es* anstelle eines vorher genannten Adjektivs stehen.

17.4 *es* als Korrelat

(1) *Es* ist seit langem bekannt, dass Rauchen der Gesundheit schadet.
→ Seit langem ist (*es*) bekannt, dass Rauchen der Gesundheit schadet.
→ Dass Rauchen der Gesundheit schadet, ist ~~es~~ seit langem bekannt.

Es gelang dem Immunsystem nicht, den Körper vor dem Erreger zu schützen.
→ Dem Immunsystem gelang *es* nicht, den Körper vor dem Erreger zu schützen.
→ Den Körper vor dem Erreger zu schützen, gelang ~~es~~ dem Immunsystem nicht.

(2) Wir bedauern (*es*), euch beim Umzug nicht helfen zu können.
→ ~~Es bedauern wir~~, euch beim Umzug nicht helfen zu können.
→ Euch beim Umzug nicht helfen zu können, bedauern wir ~~es~~.

Endlich hat Peter *es* geschafft, einen Arbeitsplatz zu finden.

> *es* als Korrelat verweist immer auf den folgenden Nebensatz; steht der Nebensatz vorn, gibt es kein Korrelat!
>
> Das Korrelat *es* steht vor einem Subjektsatz (1) oder Akkusativ-Ergänzungssatz (2). Vor einem Akkusativ-Ergänzungssatz kann das Korrelat *es* nicht am Anfang stehen.
>
> Das Korrelat *es* ist in den meisten Fällen fakultativ.

17.5 Obligatorisches *es* in verbalen Ausdrücken

(1) *es* im Nominativ bei „unpersönlichen" Verben

Es gibt kein Wasser auf dem Mond.
Worum *geht es* in diesem Text?
Bei der so genannten Fata morgana *handelt es sich* um Luftspiegelungen.
Wie *geht es* Otto? – *Es soll* ihm schlecht *gehen*; er liegt in der Klinik.
Es heißt in der Meldung, alle Passagiere hätten den Flugzeugabsturz überlebt.
Beim Fußballspiel *kommt es* darauf *an*, möglichst viele Tore zu schießen.
Im Katastrophengebiet *fehlt es* an Zelten, Decken und Nahrungsmitteln.
Für die Position eines Chefarztes *mangelt es* ihm an Erfahrung.
es regnet (schneit, hagelt, blitzt, donnert, friert, taut, dunkelt, ...)

> Die so genannten unpersönlichen Verben kommen nur zusammen mit *es* im Nominativ vor; dieses *es* kann man weder weglassen noch gegen ein Nomen, Pronomen oder einen Nebensatz austauschen.

(2) *es* im Akkusativ in einigen verbalen Ausdrücken

Sie *meint es gut* mit den Katzen; täglich bringt sie ihnen Futter.
(~~Es meint sie gut mit den Katzen~~; täglich bringt sie ihnen Futter.)

Hast du *es* darauf *abgesehen*, mich zu ärgern?
Otto *hat es* bis zum Abteilungsleiter *gebracht*.
Wir *haben es gut / schön / schlecht / eilig ...*
Macht*'s gut!* (Abschiedsgruß)
Im Urlaub *haben* wir *es uns gut gehen lassen*.

> Bei einigen verbalen Ausdrücken ist *es* im Akkusativ obligatorisch; d. h. *es* kann nicht weggelassen werden und auch nicht gegen ein Nomen, Pronomen oder einen Nebensatz ausgetauscht werden.
>
> *es* im Akkusativ kann nicht am Satzanfang stehen.

17.6 Erststellen-*es*

Es lebte einst ein König in einem großen Schloss.
→ Einst lebte in einem großen Schloss ein König.

Es vergingen viele Wochen, ehe wir wieder etwas von ihm hörten.
→ Viele Wochen vergingen, ehe wir wieder etwas von ihm hörten.

Es wird in allen Städten des Rheinlands am Rosenmontag Karneval gefeiert.
→ In allen Städten des Rheinlands wird am Rosenmontag Karneval gefeiert.

Es wird ab Montagmorgen gestreikt.
→ Ab Montagmorgen wird gestreikt.

~~Es wollten wir im Sommer verreisen.~~

> Wenn kein anderes Satzglied auf Position I des Satzes stehen kann oder soll, verwendet man das *Erststellen-es*.
> Fast jeder Aussagesatz kann mit einen *Erststellen-es* beginngen.
> (<u>Ausnahme:</u> Wenn das Subjekt ein Pronomen ist, ist kein *Erststellen-es* möglich!)

Zusammenfassende Übungen

15. Altreifen für den Straßenbau

In einer Meldung des „GOODYEAR-Pressedienstes" heißt es, <u>dass es gelungen sei, bei der Verwertung von Altreifen Umweltschutz und Wirtschaftlichkeiterswägungen in Einklang zu bringen.</u> Früher habe man Altreifen auf Mülldeponien geworfen oder einfach in der
5 Landschaft liegen lassen. Jetzt gebe es einen neuen Weg, wie man mit dem Problem des Kautschuk-Mülls fertig werde. Altreifenberge könnten in profitable Goldminen verwandelt werden.

Direkte Rede

So wird derzeit in den USA eine Gesetzesinitiative erwogen: <u>Beim Neubau oder bei der Ausbesserung von Bundesstraßen</u> soll den As-
10 phaltbelägen Pulverkautschuk beigemengt werden, <u>der aus Altreifen gewonnen wurde.</u>

Nebensatz

Linksattribut

Den <u>aufgrund dieser Initiative zu erwartenden</u> Bedarf nahm eine New Yorker Firma zum Anlass, die Kapazität ihrer Reifenzerkleinerungsanlage zu erweitern, <u>die schon jetzt 1.000 Altreifen pro Stunde verar-</u>
15 <u>beitet.</u>

Nebensatz

Linksattribut

Kautschuk kann die Lebensdauer der <u>durch hohes Verkehrsaufkom-men belasteten</u> Autostraßen verlängern und außerdem die Kosten verringern, die für die Instandsetzung aufzubringen <u>sind</u>.

Nebensatz

Modalverb

Eingehende technische Untersuchungen haben gezeigt, dass <u>durch</u>
20 <u>Kautschukbeimengungen zum Asphalt</u> die Haltbarkeit des Fahrbelags um einige Jahre verlängert wird.

Nebensatz

Insbesondere <u>ist es möglich,</u> die Widerstandsfähigkeit der Fahrbahnoberfläche gegenüber extremen Temperaturen zu verbessern. Die Beimengung von Kautschuk führt nicht nur <u>zu einer größeren Elastizität</u>
25 <u>der Fahrbahndecke,</u> sondern sie vermindert auch die Fließdauer des weichen Asphalts.

Modalverb

Nebensatz

Zur Verbesserung von Fahrbahnbelägen <u>fand</u> Kautschuk schon früh <u>Verwendung.</u>

Vollverb

<u>Aufgrund des überreichlichen Angebots an billigem Erdöl,</u> bei dessen
30 Verarbeitung große Mengen an Bitumen anfallen, hatte sich diese Bauweise aber seinerzeit nicht durchzusetzen <u>vermocht.</u>

Nebensatz

Modalverb

Schreiben Sie den Text neu! Berücksichtigen Sie die Hinweise am Rand!

In einer Meldung des „GOODYEAR-Pressedienstes" heißt es:
„Es ...

Ersetzen Sie in den folgenden Übungen die unterstrichenen Teile durch andere gram-matische Strukturen, ohne den Text inhaltlich zu verändern!

116. *Die deutschen Universitäten*

Die heutigen deutschen Universitäten berufen sich immer noch auf ihre fast 1000-jährige europäische Tradition wie auch auf die <u>durch den Gedanken der Freiheit von Forschung und Lehre geprägte</u> Universität Wilhelm von Humboldts. <u>Obwohl sich das innere und äußere Erscheinungsbild der Hochschulen in den letzten vier</u>
5   <u>Jahrzehnten erheblich verändert hat</u>, wirkt die Geschichte in vielen universitären Bereichen fort.

Der hierarchische Aufbau der einzelnen Universitäten hat sich über Jahrhunderte erhalten und wurde gegen Änderungswünsche, <u>die von allen Seiten kamen</u>, massiv verteidigt. Auch Inhalte und Lehrmethoden <u>sind</u> oftmals auf Jahrhunderte alte
10 Traditionen zurück<u>zu</u>führen.

<u>Selbst nach dem Ausbau vieler Universitäten in den 60er Jahren und der gleich-zeitigen Gründung neuer Hochschulen</u> blieben mehr alte Strukturen erhalten, als es <u>der Absicht</u> der Reformer <u>entsprach</u>. Sie hatten erreichen wollen, <u>dass sich die Hochschulen für alle öffnen</u>, die den Wunsch hatten zu studieren. Dafür wäre
15 aber <u>die konsequente Abschaffung der hierarchischen Strukturen und eine völlig neue Organisation der Hochschulen</u> notwendig gewesen.

Das einzige sichtbare Ergebnis der Bemühungen der Bildungsreformer scheint zu sein, dass sich die <u>zum Bildungssystem vergangener Zeiten passende</u> Elite-universität in eine Massenuniversität verwandelt hat.

117. *AIDS*

Seit etwa 1981 breitet sich auch in Europa eine neue, <u>unter der englischen Abkür-zung AIDS bekannt gewordene</u> Krankheit aus.

AIDS ist eine Schwächung des Immunsystems, <u>die durch Ansteckung mit dem HIV-Virus erworben wird</u>. Das körpereigene Abwehrsystem <u>ist</u> dann nicht mehr
5   zur Bekämpfung von Krankheitserregern <u>in der Lage</u>. Der Zusammenbruch des Immunsystems hat <u>schwere Erkrankungen und schließlich den Tod der Betroffe-nen</u> zur Folge.

<u>Nach einer Infektion mit dem HIV-Virus</u> kann es mehrere Jahre dauern, <u>bis Krank-heitssymptome auftreten</u>. Ob eine HIV-Infektion vorliegt oder nicht, <u>ist</u> aber mit
10 Hilfe von HIV-Tests relativ sicher fest<u>zu</u>stellen.

Bei einem solchen Test geht es <u>darum, die vom menschlichen Organismus gegen</u>

...s HIV-Virus gebildeten Antikörper nachzuweisen. Wenn das Testergebnis negativ ist, lässt sich nur die Aussage treffen, dass keine HIV-Infektion erkennbar ist. Da Antikörper aber frühestens einige Wochen nach einer Infizierung auftreten, ist
15 eine Wiederholung des Tests nach etwa drei Monaten sinnvoll.

Im Falle eines Nachweises von Antikörpern im Blut lässt das Testergebnis aber keine Vorhersage über den zukünftigen Verlauf der Krankheit zu.

118. *Die verschiedenen Dimensionen der Menschenrechte*

Die Menschenrechte werden in drei Kategorien unterteilt, weil sie eine unterschiedliche Bedeutung und Entwicklungsgeschichte haben. Die Menschenrechte der ersten und zweiten Kategorie sind im Wesentlichen schon in der am 10. Dezember 1948 von der UN-Generalversammlung verabschiedeten „Allgemeinen Erklärung
5 der Menschenrechte" enthalten. Trotz der fehlenden Rechtsverbindlichkeit bestimmte diese Erklärung in der Folgezeit die Menschenrechte weltweit.

Die Rechte, die zur ersten Kategorie zählen, sind die „klassischen Grundrechte", wie sie in den meisten Verfassungen der westlichen Industriestaaten zu finden sind. Sie haben inzwischen aber auch Aufnahme in die Verfassungen vieler Entwick-
10 lungsländer gefunden. Nach der einstimmigen Verabschiedung dieser Rechte durch die UNO im Jahre 1966 traten sie zehn Jahre später in den 35 Unterzeichnerstaaten als sog. Zivilpakt in Kraft. Zugleich fassten diese Staaten auch den Beschluss, die Menschenrechte der zweiten Kategorie in den sog. Sozialpakt aufzunehmen. Dabei handelt es sich um solche Rechte, die vor allem auf die Sicherung des mensch-
15 lichen Überlebens ausgerichtet sind, wie z. B. das Recht auf Wohnung und das Recht auf Gesundheitsfürsorge.

Während die Menschenrechte des Zivil- und Sozialpakts, die man als Rechte des Individuums gegenüber dem Staat bezeichnet, heute weitgehend akzeptiert werden, ist das bei den Menschenrechten der dritten Kategorie noch nicht der Fall. Bei diesen
20 sog. Kollektivrechten geht es um die gerechte Gestaltung der Verhältnisse zwischen den verschiedenen Völkern. Neben dem Recht auf Frieden gehört dazu auch das Recht auf wirtschaftliche Entwicklung, was besonders von den Entwicklungsländern stark betont wird.

119. *Zunahme von Überschwemmungen*

Ohne Wasser ist das Leben auf der Erde unvorstellbar. Aufgrund der vielen Naturkatastrophen in den letzten Jahren ist man aber zu der Einsicht gelangt, dass zu viel Wasser ebenso gefährlich ist wie zu wenig. Ob es sich bei diesen Katastrophen um Ankündigungen einer der in der Erdgeschichte immer wieder auftretenden

5 großen Klimaveränderungen handelt oder um eine <u>vom Menschen hervorgerufe-</u>
<u>ne</u> Klimaverschlechterung, ist bei den Fachleuten umstritten.

In bestimmten Fällen lässt sich allerdings nachweisen, wie <u>durch rücksichtsloses</u>
<u>Eingreifen in die Natur</u> Katastrophen entstehen. So <u>ist</u> nicht <u>in Vergessenheit gera-</u>
<u>ten</u>, dass in den letzten Jahren immer häufiger Flüsse über die Ufer getreten sind
10 und weite Flächen überschwemmt haben. Ein Grund dafür ist, <u>dass die Flüsse ver-</u>
<u>stärkt zu Schifffahrtsstraßen ausgebaut werden</u>. Die begradigten Flüsse können
die Wassermassen, <u>die durch längere und stärkere Regenfälle verursacht sind</u>, nicht
mehr aufnehmen. Nach Meinung einer Klimaforscherin wird die Hochwassergefahr
<u>wegen der Erwärmung der Erdatmosphäre</u> in den nächsten Jahrzehnten weiter
15 zunehmen. <u>Obwohl noch Unsicherheit über das Ausmaß der Erwärmung besteht,</u>
ist <u>eine starke Zunahme der Niederschläge in Zukunft</u> zu befürchten.

Die Wissenschaftlerin sagte: <u>„Für mich ist die Entwicklung eindeutig. Meiner An-</u>
<u>sicht nach muss immer häufiger mit ausgeprägten Winterhochwassern gerechnet</u>
<u>werden, die enorme wirtschaftliche Schäden verursachen."</u>

120. *Bevölkerungsstruktur*

Der Begriff „Bevölkerung" <u>findet</u> in der amtlichen Statistik <u>Verwendung</u> für die
Summe der Einwohner eines abgegrenzten Gebietes, z. B. einer Stadt oder eines
Landes. Die Einwohner- oder Bevölkerungszahl ist keine feste, sondern eine <u>sich</u>
<u>ständig durch Geburten, Sterbefälle, Zu- und Abwanderung verändernde</u> Größe.
5 Die Wissenschaft, die sich <u>um die Erfassung und Interpretation aller notwendigen</u>
<u>Daten dieses Bevölkerungsprozesses</u> bemüht, heißt Demographie.

<u>Um die Bevölkerungszahl zu ermitteln</u>, gibt es verschiedene Methoden. Die exak-
teste ist die Zählung. Man weiß <u>von einer schon vor über 4.000 Jahren in China</u>
<u>durchgeführten Volkszählung</u>. Zählungen, wie sie in modernen Staaten üblich sind,
10 sind <u>ohne Akzeptanz und Mitarbeit der Befragten</u> nicht möglich. Diese heutigen
Volkszählungen ermitteln nicht nur <u>die Zahl der in einem Staat lebenden Men-</u>
<u>schen</u>, sondern darüber hinaus eine Fülle anderer Fakten, <u>die die Regierung für</u>
<u>ihre Planungen benötigt</u>. Für die Einschätzung der Bevölkerungsentwicklung in
der Zukunft <u>ist es unerlässlich</u>, alle <u>an diesem Prozess beteiligten</u> Faktoren zu be-
15 rücksichtigen.

Demographen erläuterten, <u>dass ihnen präzise Volkszählungsdaten heute Prognose-</u>
<u>möglichkeiten eröffneten, die früheren Gesellschaften nicht zur Verfügung gestan-</u>
<u>den hätten. Sich wandelnde Bevölkerungsstrukturen brächten neue Schwierigkei-</u>
<u>ten mit sich, die wenigstens zum Teil zu erkennen seien, so dass man frühzeitig</u>
20 <u>reagieren könne.</u>

BSE

Seit einigen Jahren kommt es bei Rindern zu einer <u>stets tödlich verlaufenden, un</u>-
<u>ter der Bezeichnung „BSE" oder „Rinderwahn" bekannt gewordenen</u> Infektions-
krankheit des Gehirns. Die Seuche hat vermutlich in Großbritannien ihren Ur-
sprung. Im März 1996 untersagte die Europäische Union (EU) Großbritannien
5 generell <u>den Export von lebenden Tieren und Fleisch in die Länder der EU.</u> Vor
1996 war die EU davon ausgegangen, dass Kälber in Großbritannien <u>wegen des</u>
<u>bereits 1990 ausgesprochenen Verbots der Verfütterung von infektiösem Tiermehl</u>
nicht mehr vom Rinderwahn befallen werden konnten.

Schon 1994 hatten die Deutschen <u>darauf</u> hingewiesen, <u>dass die Übertragung der</u>
10 <u>Krankheit vom Rind auf den Menschen möglich ist</u> und in Brüssel vergeblich <u>ein</u>
<u>vollständiges Exportverbot für britische Tiere und Tierprodukte</u> gefordert.

Aus dem Fall des Rindes „Cindy", <u>das im Dezember 1996 in Westfalen an BSE</u>
<u>verendet ist,</u> <u>ziehen</u> Wissenschaftler <u>den Schluss,</u> dass es bei Rindern möglicher-
weise auch einen anderen Übertragungsweg als den über Tiermehl geben könnte.
15 Sollten Cindys Zuchtpapiere stimmen, stammt sie von einem schottischen Rind
ab, wurde aber erst <u>nach dem Verbot der Tiermehlimporte aus Großbritannien</u> in
Deutschland geboren. Bei Cindy <u>lässt sich</u> die Frage nach dem Übertragungsweg
der Seuche nicht beantworten, <u>weil ihre Herkunft noch nicht eindeutig geklärt ist.</u>
<u>Könnte man die Übertragung der Krankheit durch ihre schottische Mutter sicher</u>
20 <u>nachweisen,</u> wäre die Vererbbarkeit von BSE bewiesen.

122. *Zur Geschichte des Fernsehens*

<u>Bei Diskussionen über die Rolle des Fernsehens</u> wissen oft nur wenige <u>darüber</u>
Bescheid, <u>wie die Anfänge dieser heute so alltäglichen Technik waren.</u>

Die physikalischen und technischen Konzepte, <u>die der neuen Technik zugrunde</u>
<u>liegen,</u> datieren aus der Zeit zwischen 1830 und 1930. Seit Beginn der 30er Jahre
5 des vergangenen Jahrhunderts waren die Voraussetzungen für den Einsatz der
Fernsehtechnik in der Massenkommunikation <u>nach zwei Jahrzehnten ihrer inten</u>-
<u>siven und erfolgreichen Erprobung</u> gegeben. In der zweiten Hälfte der 30er Jahre
<u>war es</u> nur jeweils wenigen Zuschauern in Deutschland, England, Frankreich und
den USA <u>möglich,</u> die ersten Fernsehprogramme zu empfangen. 1940 gab es in
10 den USA bereits 23 Fernsehstationen. In Europa verhinderte aber der Zweite Weltkrieg <u>die Ausbreitung der neuen Technik.</u>

In Deutschland startete der Nordwestdeutsche Rundfunk erst 1953 mit einem <u>noch</u>
<u>sehr an den Kinoprogrammen mit Nachrichten, Vorfilm und Hauptfilm orientier</u>-
<u>ten</u> Fernsehprogramm. Die Umstellung von Schwarzweißfernsehen auf Farbfern-